Et si on commençait par
LE DESSERT

[Eve Godin, nutritionniste gourmande]

LES ÉDITIONS LA SEMAINE
2050, rue de Bleury, bureau 500
Montréal (Québec) H3A 2J5

Directrice des éditions : Annie Tonneau
Directrice artistique : Lyne Préfontaine
Coordonnateur aux éditions : Jean-François Gosselin

Vice-président des opérations : Réal Paiement
Superviseure de la production : Lisette Brodeur
Assistante-contremaître : Joanie Pellerin
Infographiste : Marylène Gingras
Scanneristes : Michel Mercure, Éric Lépine
Réviseurs-correcteurs : Monique Lepage, Marie-Hélène Cardinal, Nathalie Ferraris

Photo de la couverture : Christian Hébert
Photos intérieures : Christian Hébert, Photocuisine, Shutterstock

Maquillage et coiffure : Sylvy Plourde

Les propos contenus dans ce livre ne reflètent pas forcément l'opinion de la maison d'édition.

L'Éditeur bénéficie du soutien de la Société de développement des entreprises culturelles du Québec pour son programme d'édition.

Remerciements :
Gouvernement du Québec — Programme du crédit d'impôt pour l'édition de livres — Gestion SODEC.

Nous reconnaissons l'aide financière du gouvernement du Canada par l'entremise du Fonds du livre du Canada pour nos activités d'édition.

© Charron Éditeur Inc.
Dépôt légal : deuxième trimestre 2012
Bibliothèque et Archives nationales du Québec
Bibliothèque et Archives Canada
ISBN : 978-2-89703-043-8

Et si on commença

LE DESSERT

ÉDITIONS
LA SEMAINE

La maladie cœliaque en quelques mots

Également appelée entéropathie au gluten, il s'agit d'une intolérance permanente au gluten, une protéine qui se retrouve dans certaines céréales. Chez les personnes atteintes, une consommation même minime de gluten endommage les parois de l'intestin, ce qui engendre l'incapacité d'absorber les nutriments, notamment le fer, le calcium et l'acide folique. Des problèmes de malnutrition en découlent et ce, même si l'alimentation est saine. On estime que cette maladie touche près de 1 % de la population au Canada.

Un seul traitement, un régime

À ce jour, un seul traitement efficace est connu : suivre rigoureusement un régime sans gluten. La tâche est lourde. Tous les aliments qui contiennent du gluten, peu importe la quantité, doivent être bannis pour toute la vie.

Où se trouve le gluten ?

Les céréales qui contiennent du gluten sont le **S**eigle, l'**A**voine, le **B**lé (incluant l'épautre et le kamut), l'**O**rge et le **T**riticale. Le mot à retenir : **SABOT**.

De toutes ces céréales découle un nombre élevé de produits ne pouvant plus faire partie du régime normal, comme les aliments et les boissons préparés et cuisinés à partir de ces céréales : produits de boulangerie et de pâtisserie, pâtes alimentaires, céréales à déjeuner et barres de céréales, craquelins, biscuits, bière, certains alcools.).

Certains aliments contiennent du gluten sous différentes appellations sans qu'il soit possible de le déceler. La lecture des étiquettes est primordiale (par exemple : amidon, dérivés de protéines végétales hydrolysées, protéines végétales texturées, sucre à glacer, etc.).

Les desserts à proscrire ?

Les personnes atteintes ne sont pas restreintes sur le plan des fruits et légumes frais ainsi que de la viande, des poissons et de la majorité des produits laitiers. Mais les choses se compliquent quand vient le moment de cuisiner des mets un peu plus élaborés, comme les desserts. Il existe heureusement des farines sans gluten (recherchez le logo qui le certifie). Par contre, ces farines (de pommes de terre, de riz, de soya, etc.) ne donnent pas des résultats identiques à la farine de blé. Il faut

[INTRODUCTION]

savoir s'adapter et trouver des trucs pour améliorer le produit final. De plus, il existe quelques livres qui vous fourniront de bonnes recettes. Pour plus d'information sur le sujet, consultez le site de la Fondation québécoise de la maladie cœliaque (www.fqmc.org).

Les maladies du cœur en quelques mots

Également appelées maladies cardiovasculaires, les maladies du cœur désignent un nombre élevé de problèmes de santé directe-ment reliés au fonctionnement du cœur. Le principal facteur de risque pour la majorité des problèmes est l'accumulation de dépôts et de plaques (en partie du cholestérol) dans les vaisseaux sanguins qui rétrécissent ou bloquent le passage du sang riche en oxygène vers le

cœur. De saines habitudes de vie peuvent prévenir ces types de complications.

Une histoire de cholestérol

Le cholestérol sanguin est un moyen de transport du gras dans le sang. Vous entendrez quelques fois les termes suivants :

- Mauvais cholestérol (ou LDL) : en trop grande quantité dans le sang, il risque de s'accumuler et de former des plaques sur les parois des vaisseaux.

- Bon cholestérol (ou HDL) : agit comme un nettoyeur en délogeant le cholestérol LDL accumulé sur les vaisseaux.

Le cholestérol alimentaire (présent seulement dans les produits d'origine animale) influence peu le taux de cholestérol sanguin chez la plupart des gens. Les gras pointés du doigt pour expliquer en partie l'hypercholestérolémie (cholestérol élevé) sont les gras saturés et les gras trans.

Les gras à la loupe

Les gras, ou lipides, sont essentiels au bon fonctionnement de notre organisme. Toutefois, ils ne sont pas tous équivalents et certains doivent

être consommés avec beaucoup de modération. C'est le cas des gras saturés et des gras trans, les « mauvais gras ». En plus des maladies du cœur, ces gras pourraient augmenter les risques de développer certains types de cancers et, évidemment, causer des problèmes de poids pouvant mener à l'obésité.

Pour votre information, les « bons gras » (appelés gras insaturés) qui, eux aussi consommés avec modération, aident à réduire le cholestérol sanguin, se retrouvent dans certaines huiles végétales (canola, olive, tournesol, maïs, carthame), dans les margarines faites à base de ces huiles, dans les noix, les graines et dans le poisson.

Guerre aux gras trans, mais...

Les gras trans, en plus d'élever le mauvais cholestérol, diminuent le bon. Même si le gouvernement canadien demande maintenant aux industries de limiter l'utilisation des gras trans dans la confection de leurs produits, ce qu'elles nous vendent renferme très souvent des quantités élevées de gras saturés et de sucre. De plus, les fruits frais sont pratiquement absents de ces sucreries. Soyez vigilants dans vos choix alimentaires et lisez les étiquettes car certains produits contiennent toujours des gras trans (à bannir : gras trans, gras hydrogénés, huile hydrogénée, shortening).

Contrôle du gras dans nos recettes

Une fois de plus, en cuisinant, vous avez entièrement le contrôle de ce que vous mangez. Les matières grasses peuvent être réduites dans la plupart des recettes. De plus, il existe des solutions pour diminuer la quantité de mauvais gras dans les desserts :

SOURCES DE GRAS SATURÉS	SOURCES DE GRAS TRANS

- Produits animaux comme :
    - Viande
    - Beurre
    - Saindoux
    - Volaille
- Produits laitiers riches en gras (fromage, crème, lait entier)
- Certaines huiles (de palme, de coprah, de coco)
- Margarine hydrogénée
	Se retrouvent principalement dans les produits « trans » formés :
	- Margarine hydrogénée
	- Shortening
	- Biscuits, desserts, produits de boulangerie, croustilles, craquelins (fabriqués à partir des gras ci-dessus)

[INTRODUCTION]

- Choisissez des laits à faible pourcentage de matières grasses.

- Cuisinez davantage avec le lait, le yogourt et la crème sure faible en gras plutôt que la crème.

- Remplacez le beurre dans certaines recettes par de l'huile ou de la margarine non hydrogénée.

- Dans mes cours à l'université, nous faisions des tests de manière à diminuer le gras dans les recettes. Saviez-vous qu'une partie de ceux-ci peut être remplacée par une compote de fruits (pommes ou pruneaux) ? Cette astuce fonctionne très bien dans les muffins.

- Il existe des garnitures de gâteaux beaucoup plus saines que la crème au beurre. Lourde, massive et très grasse, elle est à éviter. Optez plutôt pour des crémages à base de yogourt comme le glaçage du gâteau aux carottes ou saupoudrez simplement un mélange de sucre en poudre et de cacao sur vos gâteaux.

- Accompagnez croustades, crumbles ou tartes aux fruits avec un yogourt à la vanille plutôt que la crème glacée (un yogourt de type méditerranéen est un choix plus sain). Il existe également des laits glacés beaucoup moins gras qui, testés à l'aveugle, pourraient très bien passer pour de la crème glacée !

- La grosseur de la portion demeure évidemment proportionnelle au nombre de calories et à la quantité de matières grasses. Soyez raisonnable !

Sains pour le cœur

Voici des aliments pouvant entrer dans nos desserts et qui sont connus pour leurs bénéfices sur la santé du cœur :

- Les fibres alimentaires solubles : gruau et son d'avoine, fruits riches en pectine (pommes, oranges, agrumes)

- Les produits à grains entiers

- Les fruits

- Les noix et les graines

- Les aliments à base de soya (tofu)

N'hésitez pas à rechercher plus d'information sur le sujet. Consultez le site de la Fondation des maladies du cœur du Québec (www.fmcoeur.qc.ca).

Les ingrédients de base

Pour réaliser des desserts,
un minimum d'ingrédients est
nécessaire. Voici ce que vous devriez
posséder pour partir du bon pied :

GARDE-MANGER
- ○ Farine tout usage non blanchie
- ○ Farine de blé entier
- ○ Flocons d'avoine
- ○ Sucre
- ○ Sucre en poudre
- ○ Cassonade
- ○ Sirop de maïs
- ○ Sirop d'érable
- ○ Miel
- ○ Mélasse
- ○ Poudre à pâte
- ○ Bicarbonate de soude
- ○ Fécule de maïs
- ○ Sel
- ○ Cacao
- ○ Chocolats variés
  (noir, non sucré, blanc)
- ○ Vanille
- ○ Huile de canola
- ○ Vinaigre blanc
- ○ Fruits séchés (raisins, dattes)

COIN DES ÉPICES :
- ○ Cannelle moulue
- ○ Noix de muscade
- ○ Gingembre moulu

RÉFRIGÉRATEUR
- ○ Lait
- ○ Crème 15 % et 35 % m.g.
- ○ Œufs
- ○ Beurre et margarine
  non hydrogénée
- ○ Fruits frais
- ○ Levure instantanée

CONGÉLATEUR
- ○ Noix variées (elles se conserveront
  beaucoup plus longtemps)
- ○ Fruits surgelés (fraises, bleuets,
  rhubarbe)

Le coffre à outils

Voici quelques pièces d'équipement qui sont primordiales en pâtisserie :

POUR MESURER, PRÉPARER ET MÉLANGER
- 1 balance électronique
- 1 jeu de cuillères à mesurer
- 1 jeu de tasses à mesurer pour les ingrédients secs
- 1 tasse à mesurer graduée en verre de 250 ml (1 tasse)
- Des culs-de-poule de grosseurs variées
- 1 fouet
- 1 spatule (ou maryse)
- 1 rouleau à pâtisserie
- Des cuillères en bois (qui ne seront utilisées que pour la pâtisserie)
- 1 zesteur ou une râpe Microplane
- 1 petit tamis
- 1 batteur électrique
- 1 pinceau à pâtisserie

POUR COUPER
- Quelques bons couteaux (couteau du chef, couteau d'office et couteau à pain)

POUR CUIRE
- Quelques casseroles
- 2 moules à muffins (miniature et ordinaire)
- 1 plaque à pâtisserie
- 2 moules ronds de 20 cm de diamètre (8 po)
- 1 moule à pain
- 1 moule à cheminée de 25 cm de diamètre (10 po)
- 1 assiette à tarte de 20 cm de diamètre (8 po)
- 1 moule carré de 20 cm (8 po)
- 6 ramequins de 125 ml (1/2 tasse)
- 4 ramequins à crème brûlée
- 1 moule à charnière de 20 cm de diamètre (8 po)
- Des cassolettes en papier pour les muffins
- Du papier parchemin
- Du papier d'aluminium
- 1 thermomètre à bonbon

POUR DÉCORER
- Ensemble de colorants

Les techniques

Abaisse : morceau de pâte aplatie généralement au rouleau selon la forme et l'épaisseur désirées.

Abaisser : étendre un morceau de pâte au rouleau.

Aérer : incorporer de l'air dans un appareil en le fouettant ou en y introduisant un autre aliment.

Appareil : mélange de plusieurs ingrédients qui sert à réaliser une préparation.

Battre : travailler une préparation au fouet ou à la machine pour la mélanger ou pour en augmenter le volume.

Blanchir : mélanger au fouet des œufs ou des jaunes d'œufs avec du sucre jusqu'à ce que le mélange devienne mousseux et clair.

Chemiser : répartir au fond d'un moule ou d'une plaque du papier sulfurisé (ou papier parchemin).

Crémer : mélanger un corps gras seul ou avec du sucre pour obtenir une consistance mousseuse, légère et crémeuse.

Délayer : dissoudre ou diluer une substance solide dans un liquide.

Dorer : enduire une pâte avec un pinceau de dorure (mélange d'œuf battu et d'eau ou de lait) afin qu'elle prenne une coloration pendant la cuisson.

Façonner : travailler une pâte ou une préparation afin de lui donner la forme désirée.

Farcir : garnir un aliment d'une farce.

Fariner : saupoudrer une surface de travail, un moule ou une plaque à cuisson d'une légère couche de farine pour empêcher la pâte ou la préparation de coller.

Foncer : garnir un moule avec une abaisse.

Fontaine : creux fait dans les ingrédients secs, où seront versés les ingrédients liquides.

Fouetter : action de battre vigoureusement au fouet ou à la machine une préparation. Synonyme de battre.

Fraiser : écraser et pousser une pâte à tarte pour la rendre homogène sans trop la pétrir.

Lier : donner de la consistance à une préparation, en général une sauce, en ajoutant de la fécule de maïs, de la farine, de la crème ou du jaune d'œuf.

Monter : battre une préparation, en général des blancs d'œufs, à l'aide d'un fouet afin d'incorporer de l'air pour en faire augmenter le volume.

Passer : filtrer un liquide dans un chinois ou une étamine afin d'éliminer impuretés ou grumeaux.

Pétrir : travailler une préparation à la main afin de rendre le mélange homogène et de lui donner du corps.

Ruban : mélange d'ingrédients suffisamment fouetté pour qu'il se plisse comme un ruban lorsqu'on le fait retomber de haut.

Sabler : mélanger le beurre et la farine délicatement à la main pour obtenir une préparation sablonneuse.

Zester : retirer, à l'aide d'un zesteur, l'écorce colorée d'un agrume.

L'indice de gourmandise

Sur chaque recette, un indice de gourmandise sera présent ainsi que les valeurs nutritives. Respectez les proportions indiquées pour que ce pictogramme garde tout son sens!

légèrement gourmand

150 calories et moins

gourmand

151 à 250 calories

très gourmand

251 calories et plus

XS

EXTRA-SMALL

[très petit format]

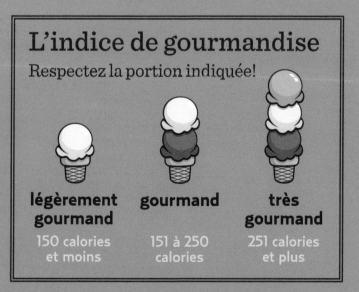

L'indice de gourmandise
Respectez la portion indiquée!

légèrement gourmand

150 calories et moins

gourmand

151 à 250 calories

très gourmand

251 calories et plus

Biscottis chocolatés

Temps de préparation : 15 minutes
Cuisson : 45 minutes
Portions : 16

INGRÉDIENTS

**250 ml (1 tasse)
de farine tout usage
non blanchie**

**60 ml (1/4 tasse)
de cacao tamisé**

**2,5 ml (1/2 c. à thé)
de bicarbonate de
soude**

Une pincée de sel

**30 ml (2 c. à soupe)
de beurre non salé
ou de margarine
non hydrogénée**

**60 ml (1/4 tasse)
de sucre**

1 œuf

**2,5 ml (1/2 c. à thé)
de vanille**

**15 ml (1 c. à soupe)
d'espresso refroidi**

**60 ml (1/4 tasse)
de pacanes ou
d'amandes**

**60 g (2 oz) de pastilles
de chocolat blanc
hachées**

PRÉPARATION

1. Préchauffer le four
   à 160 °C (325 °F).

2. Dans un bol, mélanger
   la farine, le cacao, le
   bicarbonate de soude
   et le sel.

3. Dans un autre bol, à
   l'aide d'un batteur électrique, battre le beurre
   ou la margarine avec le
   sucre jusqu'à ce que la
   préparation devienne
   légèrement mousseuse.
   Ajouter l'œuf, puis bien
   mélanger pour que le
   tout ait une consistance
   homogène. Ajouter la
   vanille et l'espresso et
   mélanger de nouveau.

4. Ajouter la préparation
   d'ingrédients secs et
   mélanger à basse
   vitesse. Ajouter les noix
   et le chocolat blanc et
   mélanger à la cuillère
   ou avec les mains. Si la
   pâte est trop collante,
   ajouter un peu de farine.

5. Travailler la pâte pour
   obtenir un rouleau
   d'environ 25 cm (10 po)
   de long. Déposer le
   rouleau sur une plaque
   à pâtisserie recouverte
   de papier parchemin.
   Du dos de la main,
   presser le rouleau pour
   qu'il s'évase et que
   sa largeur atteigne
   environ 8 cm (3 po).

6. Cuire au four jusqu'à
   ce que la pâte soit ferme,
   environ 30 minutes.
   Retirer de la plaque et
   déposer sur une grille
   à pâtisserie pour
   laisser refroidir.

7. Tailler des tranches sur
   la diagonale du rouleau
   d'environ 1,5 cm (1/2 po)
   d'épaisseur. Remettre
   les tranches sur la
   plaque à pâtisserie
   recouverte de papier
   parchemin et cuire
   environ 8 minutes.
   Sortir du four,
   retourner les tranches
   et poursuivre la cuisson
   8 minutes. Les biscottis
   doivent avoir perdu
   leur humidité.

8. Déposer les biscottis
   sur une grille et laisser
   refroidir complètement.

Pour 1 biscotti :
97 calories
5 g lipides
13 g glucides
1 g fibres

Biscuits à l'avoine et aux fruits séchés

Temps de préparation : 15 minutes / Repos : 24 heures
Cuisson : 12 minutes
Portions : 24 biscuits

INGRÉDIENTS

125 ml (1/2 tasse) de beurre non salé ou de margarine non hydrogénée

125 ml (1/2 tasse) de sucre

125 ml (1/2 tasse) de cassonade

2 œufs

430 ml (1 3/4 tasse) de farine tout usage non blanchie

430 ml (1 3/4 tasse) de flocons d'avoine

5 ml (1 c. à thé) de bicarbonate de soude

1 ml (1/4 c. à thé) de cannelle moulue

1 ml (1/4 c. à thé) de muscade moulue

250 ml (1 tasse) de raisins secs

125 ml (1/2 tasse) de canneberges séchées

PRÉPARATION

1. Dans un bol, à l'aide d'un batteur électrique, battre le beurre ou la margarine avec le sucre et la cassonade, jusqu'à ce que la préparation pâlisse et devienne légèrement mousseuse. Ajouter les œufs, un à un, et continuer à mélanger jusqu'à ce que le tout ait une consistance homogène.

2. Dans un autre bol, mélanger la farine, les flocons d'avoine, le bicarbonate de soude et les épices.

3. Incorporer la préparation d'ingrédients secs à la préparation de beurre et de sucre et mélanger jusqu'à l'obtention d'une pâte lisse. Ajouter les raisins et les canneberges et mélanger avec une cuillère en bois.

4. Déposer la pâte dans un bol et couvrir d'une pellicule plastique. Réfrigérer jusqu'au lendemain.

5. Préchauffer le four à 180 °C (350 °F). Déposer des boules d'environ 60 ml (1/4 tasse) sur une plaque à pâtisserie recouverte de papier parchemin. Prévoir effectuer la cuisson en deux fois au besoin. Aplatir les boules avec les doigts. Cuire au four jusqu'à ce que le tour des biscuits soit légèrement doré, soit de 10 à 12 minutes. Les biscuits finiront de cuire à la sortie du four. Laisser refroidir complètement.

Ces galettes demandent un temps de repos qui permet d'obtenir une belle texture, croquante et tendre à la fois.

Pour 1 biscuit:
154 calories
4 g lipides
27 g glucides
1 g fibres

XS

TRÈS PETIT
FORMAT

Minicookies aux morceaux de chocolat

Temps de préparation : 20 minutes
Cuisson : 12 minutes
Portions : 30 biscuits

INGRÉDIENTS

125 ml (1/2 tasse)
de beurre non salé
ou de margarine
non hydrogénée

250 ml (1 tasse)
de cassonade

2 œufs

5 ml (1 c. à thé)
de vanille

430 ml (1 3/4 tasse)
de farine tout usage
non blanchie

2,5 ml (1/2 c. à thé)
de bicarbonate
de soude

2,5 ml (1/2 c. à thé)
de poudre à pâte

Une pincée de sel

310 ml (1 1/4 tasse)
de chocolat à 70 %
de cacao haché

125 ml (1/2 tasse)
de noisettes hachées

PRÉPARATION

1. Préchauffer le four
à 180 ºC (350 ºF).

2. Dans un bol, à l'aide
d'un batteur électrique,
battre le beurre ou la
margarine avec la casso-
nade jusqu'à ce que la
préparation devienne
mousseuse et légère,
environ 3 minutes.
Ajouter les œufs et la
vanille et mélanger
jusqu'à ce que le tout
ait une consistance
homogène.

3. Dans un autre bol,
mélanger la farine,
le bicarbonate de
soude, la poudre à
pâte et le sel.

4. Ajouter la préparation
d'ingrédients secs au
mélange de cassonade
et battre à basse
vitesse jusqu'à ce que
le mélange soit
homogène.

5. Ajouter les morceaux
de chocolat et les
noisettes et mélanger
à l'aide d'une cuillère
en bois.

6. Former de petites
boules d'environ
15 ml (1 c. à soupe)
et déposer sur une
plaque à pâtisserie
recouverte de papier
parchemin. Remplir
deux plaques si possible
ou prévoir une cuisson
en deux fois.

7. Cuire au four environ
12 minutes, jusqu'à ce
que les biscuits soient
simplement figés. Ils
finiront de cuire à la
sortie du four. Laisser
refroidir complètement
avant de déguster.

Pour 1 biscuit:
144 calories
8 g lipides
17 g glucides
1 g fibres

XS

Madeleines aux agrumes
(recette revisitée)

Temps de préparation : 20 minutes / Repos : 1 heure
Cuisson : 12 minutes
Portions : 12

INGRÉDIENTS

2 œufs

60 ml (1/4 tasse)
de sucre

20 ml (4 c. à thé)
de miel

180 ml (3/4 tasse)
de farine tout usage
non blanchie

2,5 ml (1/2 c. à thé)
de poudre à pâte

30 ml (2 c. à soupe)
de jus d'orange

10 ml (2 c. à thé)
de zeste d'agrumes
(lime, orange, citron,
mandarine, etc.)

45 ml (3 c. à soupe)
de beurre fondu
non salé

45 ml (3 c. à soupe)
d'huile d'olive

PRÉPARATION

1. Dans un bol, fouetter
les œufs, le sucre et le
miel jusqu'à ce que le
mélange blanchisse
et devienne mousseux.

2. Ajouter, à la cuillère, la
farine, la poudre à pâte,
le jus d'orange et le zeste
et mélanger légèrement
pour rendre la pâte
homogène.

3. Terminer en ajoutant
le beurre fondu et l'huile
et mélanger.

4. Déposer dans un
contenant propre et
réfrigérer au moins
1 heure.

5. Préchauffer le four à
200 °C (400 °F).

6. À l'aide d'un pinceau,
beurrer généreusement
un moule à madeleines
(12 cavités). Saupoudrer
de farine et retourner
au-dessus de l'évier
pour retirer l'excédent.
Remplir chaque moule
aux trois quarts. Cuire
au four de 10 à 12 mi-
nutes ou jusqu'à ce que
les madeleines soient
légèrement dorées.

7. À la sortie du four,
démouler aussitôt.

8. Déguster ou conserver
les madeleines encore
tièdes dans un
contenant hermétique.

Variante :
*Vous pourriez également
ajouter des pépites de
chocolat pour une version
encore plus gourmande...
Mes excuses à Marcel
Proust !*

*Faites comme l'écrivain français Marcel Proust, qui
associait les madeleines à un lointain souvenir de son enfance
et qui, dans ses romans, aimait faire déguster à ses personnages
une madeleine à l'heure de la collation. J'ai modifié
la recette traditionnelle en y ajoutant de l'huile d'olive,
qui donne une belle texture et un parfum supplémentaire
à cette superbe petite pâtisserie.*

Pour 1 madeleine:
119 calories
7 g lipides
26 g glucides
0 g fibres

Brownies

Temps de préparation : 20 minutes
Cuisson : 20 minutes
Portions : 18 morceaux

INGRÉDIENTS

150 g (5 oz)
de chocolat noir
à 70 % de cacao

125 ml (1/2 tasse)
de beurre non salé
ou de margarine
non hydrogénée

3 œufs

160 ml (2/3 tasse)
de sucre

30 ml (2 c. à soupe)
de sirop de maïs

2,5 ml (1/2 c. à thé)
de vanille

80 ml (1/3 tasse)
de lait

160 ml (2/3 tasse)
de farine tout usage
non blanchie

60 ml (1/4 tasse)
de pacanes hachées
(facultatif)

PRÉPARATION

1. Préchauffer le four
à 180 °C (350 °F).
Beurrer un moule
carré de 20 cm (8 po).
Tapisser le fond du
moule de papier
parchemin.

2. Déposer le chocolat
et le beurre ou la
margarine dans un bol
et faire fondre au four
à micro-ondes environ
90 secondes.

3. Dans un autre bol,
fouetter les œufs avec
le sucre, le sirop de maïs
et la vanille jusqu'à ce
que le mélange devienne
mousseux.

4. Ajouter le chocolat
fondu et le lait. Bien
mélanger.

5. Ajouter la farine et
mélanger pour bien
incorporer le tout.
Ajouter les pacanes.

6. Verser la pâte dans le
moule et égaliser à l'aide
d'une spatule.

7. Cuire au four
20 minutes ou jusqu'à
ce que le brownie soit
figé. Le centre sera
encore mou. Laisser
refroidir complètement.
Retourner sur
une planche pour
démouler et couper
en 18 morceaux.

Chaque fois que je tombe sur une nouvelle recette de brownies, je veux l'essayer. J'ai une obsession: trouver «le» brownie parfait. Mission accomplie? À vous de juger. Ceux que vous obtiendrez ici offrent une texture ultracrémeuse et onctueuse et un goût de chocolat plutôt intense. Une chose est sûre : un seul carré satisfera amplement et délicieusement votre envie!

Pour 1 brownie:
166 calories
7 g lipides
18 g glucides
1 g fibres

XS

TRÈS PETIT
FORMAT

Minicupcakes au café

Temps de préparation : 25 minutes
Cuisson : 8 minutes (7 minutes pour le glaçage)
Portions : 24

INGRÉDIENTS

250 ml (1 tasse)
de farine tout usage
non blanchie

10 ml (2 c. à thé)
de poudre à pâte

80 ml (1/3 tasse)
de beurre non salé
ou de margarine
non hydrogénée

80 ml (1/3 tasse)
de cassonade

2 œufs

60 ml (1/4 tasse)
d'espresso refroidi

Glaçage :

125 ml (1/2 tasse)
de cassonade

30 ml (2 c. à soupe)
d'espresso refroidi

1 blanc d'œuf

PRÉPARATION

1. Préchauffer le four
   à 180 °C (350 °F).
   Disposer 24 minicas-
   solettes en papier dans
   des moules à muffins
   (24 cavités).

2. Dans un bol, mélanger
   la farine et la poudre
   à pâte.

3. Dans un autre bol,
   à l'aide d'un batteur
   électrique, battre le
   beurre ou la margarine
   avec la cassonade
   jusqu'à ce que le
   mélange devienne
   léger et mousseux.
   Ajouter les œufs et
   bien mélanger.

4. Ajouter le mélange
   de farine en alternant
   avec le café, à basse
   vitesse.

5. Répartir la pâte dans les
   minimoules à muffins.
   Cuire au four jusqu'à ce
   qu'un cure-dent inséré
   au centre d'un cupcake
   en ressorte propre,
   environ 8 minutes.

6. Chauffer de l'eau
   à feu doux dans une
   petite casserole.
   Hors du feu, dans un
   bol qui sera déposé
   sur la casserole sans
   toucher directement
   l'eau (concept du
   bain-marie), fouetter
   au batteur électrique,
   pendant environ
   1 minute, le mélange
   de cassonade, café
   et blanc d'œuf. Placer
   le bol au-dessus de
   l'eau frémissante et
   continuer à fouetter à
   haute vitesse jusqu'à ce
   que le glaçage devienne
   assez ferme, soit de
   6 à 7 minutes.

7. Glacer les cupcakes
   généreusement.

*Parfois, pas besoin d'un gros
gâteau pour contenter notre envie
de sucré. Ces minicupcakes
en sont le meilleur et
le plus délectable exemple.*

Pour 1 minicupcake:
79 calories
3 g lipides
12 g glucides
0 g fibres

Sucre à la crème

Temps de préparation : 10 minutes
Cuisson : 10 minutes
Portions : 32

INGRÉDIENTS

250 ml (1 tasse)
de crème 35 % m.g.

250 ml (1 tasse)
de sucre

250 ml (1 tasse)
de cassonade

60 ml (1/4 tasse)
de sirop d'érable

60 ml (1/4 tasse)
de sirop de maïs

15 ml (1 c. à soupe)
de beurre non salé

PRÉPARATION

1. Recouvrir un moule à pain de papier parchemin, de façon à ce que les deux extrémités dépassent du moule.

2. Mettre tous les ingrédients, sauf le beurre, dans une casserole. Porter à ébullition et déposer un thermomètre à bonbon au centre de la casserole. Laisser cuire sans mélanger jusqu'à ce que la préparation atteigne 115 °C (240 °F). Retirer du feu et ajouter le beurre sans mélanger.

3. Déposer la casserole dans un évier rempli d'un peu d'eau froide et attendre que la température redescende à 43 °C (110 °F), toujours sans brasser.

4. Retirer la casserole de l'eau et mélanger à l'aide d'une cuillère en bois jusqu'à ce que la préparation devienne pâle et perde de sa brillance. Verser alors dans le moule et laisser refroidir complètement à la température ambiante. Retirer du moule et couper en morceaux.

J'adore les beaux gros blocs de sucre à la crème. C'est pourquoi je le prépare dans un moule à pain. Respectez tout de même la manière de couper vos carrés pour ne pas abuser de cette sucrerie bien énergétique!

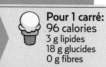

Pour 1 carré:
96 calories
3 g lipides
18 g glucides
0 g fibres

XS

TRÈS PETIT
FORMAT

Tire-éponge

Temps de préparation : 5 minutes
Cuisson : 15 minutes
Portions : 30 morceaux

INGRÉDIENTS

125 ml (1/2 tasse)
d'eau

310 ml (1 1/4 tasse)
de sucre

180 ml (3/4 tasse)
de sirop de maïs

20 ml (4 c. à thé)
de bicarbonate
de soude

PRÉPARATION

1. Déposer du papier
parchemin dans
un moule carré
de 20 cm (8 po).

2. Dans une casserole,
mélanger l'eau, le sucre
et le sirop de maïs.
Porter à ébullition
et déposer un
thermomètre à bonbon
au centre de la casserole.
Laisser cuire sans
mélanger jusqu'à ce que
la préparation atteigne
150 °C (300 °F).

3. Retirer du feu et ajouter
immédiatement le
bicarbonate de soude.
Mélanger
vigoureusement
au fouet pour éviter
que des grumeaux
ne se forment.
La préparation
quadruplera
de volume.

4. Verser la préparation
dans le moule. Laisser
refroidir complètement
avant de couper en
morceaux.

*Quoi de plus ludique et amusant à réaliser
que la tire-éponge? N'hésitez pas à faire fondre
du chocolat et à y tremper vos morceaux
de tire-éponge. Attention aux dents... ça colle!*

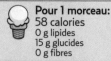

Pour 1 morceau:
58 calories
0 g lipides
15 g glucides
0 g fibres

Caramel à la vanille et à la fleur de sel

Temps de préparation : 10 minutes
Cuisson : 10 minutes / Repos : 24 heures
Portions : 80 morceaux

INGRÉDIENTS

1 gousse de vanille

500 ml (2 tasses)
de sucre

125 ml (1/2 tasse)
de sirop de maïs

45 ml (3 c. à soupe)
d'eau

125 ml (1/2 tasse)
de crème 35 % m.g.

60 ml (1/4 tasse)
de lait

125 ml (1/2 tasse)
de beurre non salé

5 ml (1 c. à thé)
de fleur de sel

PRÉPARATION

1. Beurrer les parois intérieures d'un moule carré de 20 cm (8 po) et déposer du papier parchemin au fond.

2. À l'aide d'un couteau bien aiguisé, fendre la vanille sur le sens de la longueur. Retirer les graines à l'aide de la pointe du couteau. Réserver.

3. Dans une casserole, porter à ébullition le sucre, le sirop de maïs et l'eau. Cuire sans brasser jusqu'à obtention d'un caramel doré.

4. Hors du feu, ajouter le reste des ingrédients. Remettre sur le feu et porter à ébullition en brassant. Baisser le feu à intensité moyenne, déposer un thermomètre à bonbon au centre de la casserole et laisser cuire jusqu'à ce que la température atteigne 121 °C (250 °F). Retirer la gousse de vanille.

5. Verser le caramel dans le moule et laisser refroidir. Couvrir d'une pellicule plastique et laisser figer 24 heures.

6. Demouler et découper en dés à l'aide d'un couteau. Envelopper dans de petits carrés de papier ciré.

Pour 1 carré:
40 calories
1 g lipides
7 g glucides
0 g fibres

XS

TRÈS PETIT FORMAT

Crème brûlée en cuillère

Temps de préparation : 10 minutes
Cuisson : 30 minutes
Portions : 10 cuillères japonaises

INGRÉDIENTS

60 ml (1/4 tasse)
de lait

40 ml (8 c. à thé)
de sucre

3 jaunes d'œufs

160 ml (2/3 tasse)
de crème 35 % m.g.

2,5 ml (1/2 c. à thé)
de vanille

10 ml (2 c. à thé)
de sucre

PRÉPARATION

1. Préchauffer le four
à 150 °C (300 °F).

2. Dans une petite
casserole, faire
chauffer le lait et
la moitié du sucre
(20 ml/ 4 c. à thé)
jusqu'à ébullition.
Réserver.

3. Dans un bol, fouetter
les jaunes d'œufs avec
le sucre restant.
Le mélange doit
blanchir. Incorporer
la crème froide au
mélange. Terminer
en versant le lait tiédi
et la vanille et
mélanger le tout.

4. Verser le mélange dans
deux ramequins à crème
brûlée et déposer les
ramequins dans une
lèche-frite contenant
2,5 cm (1 po) d'eau.

5. Cuire au four environ
30 minutes ou jusqu'à
ce que les crèmes soient
figées. Retirer de l'eau
chaude immédiatement
et réfrigérer.

6. Lorsque les crèmes
brûlées sont bien
refroidies, en garnir
les cuillères japonaises
et racler à l'aide de la
lame du couteau pour
que la cuillère soit rase.
Saupoudrer de sucre
et brûler à l'aide d'une
minitorche à pâtisserie.

*Évidemment, dans une crème brûlée, on retrouvera
de la crème! Lorsqu'on la sert en cuillère, on en apprécie
encore davantage la texture onctueuse et la douce
saveur tout en limitant le nombre de calories.*

Pour 1 portion:
108 calories
7 g lipides
8 g glucides
0 g fibres

Barres fruitées maison

Temps de préparation : 15 minutes
Cuisson : 25 minutes
Portions : 20 barres

INGRÉDIENTS

80 ml (1/3 tasse)
de beurre non salé
ou de margarine
non hydrogénée

250 ml (1 tasse)
de cassonade

125 ml (1/2 tasse)
de farine tout usage
non blanchie

125 ml (1/2 tasse)
de farine de blé entier

2 œufs

250 ml (1 tasse)
de noix de coco
en filaments

250 ml (1 tasse)
de fruits séchés variés
(canneberges, raisins
secs, abricots, dattes,
etc.)

125 ml (1/2 tasse)
de noix de Grenoble
hachées

PRÉPARATION

1. Préchauffer le four
à 180 °C (350 °F).

2. Dans un bol, mélanger le
beurre ou la margarine
avec 125 ml (1/2 tasse)
de cassonade et les
farines jusqu'à obtention
d'une consistance
grumeleuse mais
homogène. Étendre
cette préparation dans
un moule carré de 20 cm
(8 po) dont le fond
a été recouvert de papier
parchemin. Presser
légèrement pour
égaliser. Cuire au four
jusqu'à ce que la base
soit légèrement dorée,
environ 10 minutes.

3. Entre-temps, dans un
bol, fouetter les œufs
et ajouter le reste de la
cassonade, la noix de
coco, les fruits séchés
et les noix. Étendre cette
préparation sur la base
à la sortie du four.
Poursuivre la cuisson
jusqu'à ce que le dessus
soit bien doré, environ
15 minutes. Laisser
refroidir complètement
avant de couper
en barres.

Pour 1 barre:
162 calories
6 g lipides
23 g glucides
1 g fibres

SMALL
[petit format]

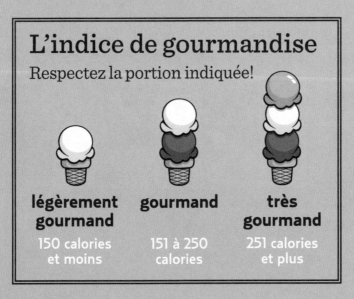

L'indice de gourmandise
Respectez la portion indiquée!

légèrement gourmand

150 calories et moins

gourmand

151 à 250 calories

très gourmand

251 calories et plus

Pâte sucrée

Temps de préparation : 25 minutes
Portions : 3 abaisses

INGRÉDIENTS

**750 ml (3 tasses)
de farine tout usage
non blanchie**

**125 ml (1/2 tasse)
de sucre**

**250 ml (1 tasse)
de beurre non salé
à la température
ambiante**

1 œuf

**30 ml (2 c. à soupe)
d'eau**

PRÉPARATION

1. Dans un grand bol, verser la farine et former une fontaine au centre.

2. Dans un autre bol, crémer à la main le sucre et le beurre. Lorsque le beurre est bien incorporé au sucre, ajouter l'œuf et l'eau et bien émulsionner.

3. Ajouter ce mélange au centre de la fontaine. Mélanger du bout des doigts.

4. Verser le mélange obtenu sur une grande surface de travail. Fraiser la pâte en l'écrasant et la roulant sous la paume de la main pour la rendre lisse et homogène. Séparer en 3 pâtons et envelopper dans une pellicule plastique.

5. Laisser reposer au froid au moins 30 minutes avant d'utiliser. Les pâtons se congèlent facilement.

Tartelettes aux amandes et au miel

Temps de préparation : 20 minutes
Cuisson : 25 minutes
Portions : 8

INGRÉDIENTS

1/2 abaisse de pâte
sucrée (voir page 56)

160 ml (2/3 tasse)
de sucre

60 ml (1/4 tasse)
de beurre non salé

15 ml (1 c. à soupe)
de miel

60 ml (1/4 tasse)
de crème 35 % m.g.

30 ml (2 c. à soupe)
de lait

375 ml (1 1/2 tasse)
d'amandes blanchies
en bâtonnets

PRÉPARATION

1. Préchauffer le four
à 180 °C (350 °F).

2. Abaisser la pâte à l'aide
d'un rouleau à pâtisserie
et en foncer 4 moules
à tartelette de 10 cm
(4 po) de diamètre
et 3 cm de haut (1 po).

3. Mettre sur la pâte
du papier parchemin
découpé selon la forme
du fond de la tartelette.
Déposer des pois secs ou
des billes en porcelaine
et cuire la pâte au four
environ 10 minutes,
jusqu'à légère coloration.
Laisser tiédir.

4. Entre-temps, mélanger
le sucre, le beurre, le
miel, la crème et le lait
dans une casserole
et chauffer jusqu'à
ébullition. Retirer
du feu.

5. Ajouter les amandes.
Verser la préparation
dans les croûtes et
cuire au four de 15 à
20 minutes ou jusqu'à
ce que le dessus des
tartes soit légèrement
doré.

6. Laisser refroidir
complètement avant
de servir. Servir
1/2 tartelette par
personne. C'est
amplement suffisant!

*Souvenir d'un voyage en Provence
où j'avais dégusté avec ma sœur
une tarte aux amandes à la seule
boulangerie ouverte d'un petit village
de moins de 1000 habitants!
J'ai voulu recréer dès mon retour
cette recette riche et savoureuse.
Du bonbon à consommer
avec modération!*

Pour 1/2 tartelette:
347 calories
23 g lipides
32 g glucides
3 g fibres

Trottoirs aux fruits

Temps de préparation : 35 minutes
Cuisson : 20 minutes
Portions : 8

INGRÉDIENTS

1 rouleau
de pâte feuilletée

Crème pâtissière :

20 ml (4 c. à thé)
d'eau

2,5 ml (1/2 c. à thé)
de gélatine

60 ml (1/4 tasse)
de sucre

45 ml (3 c. à soupe)
de fécule de maïs

1 œuf

2,5 ml (1/2 c. à thé)
de vanille

250 ml (1 tasse)
de lait chaud

1 blanc d'œuf

Garniture :

Fraises en tranches

Raisins coupés en deux

Framboises

Bleuets

Pomme coupée
en fines tranches

Autres fruits au goût

PRÉPARATION

1. Préchauffer le four
à 200 °C (400 °F).
Découper 8 rectangles
de pâte de 12 cm x 6 cm
(5 po x 2,5 po). Tailler
ensuite 16 bandes
de 12 cm x 0,5 cm
(5 po x 0,2 po),
puis 16 bandes
de 5 cm x 0,5 cm
(2 po x 0,2 po).

2. Déposer sur une plaque
à pâtisserie recouverte
de papier parchemin
les grands rectangles
et piquer la surface à
l'aide d'une fourchette.
Déposer les bandelettes
sur les pourtours des
rectangles. Cuire au
four jusqu'à ce que la
pâte feuilletée soit
bien dorée, environ
15 minutes. À la sortie
du four, piquer la pâte
feuilletée à l'aide de
la pointe d'un couteau
si elle est trop gonflée.
Laisser refroidir
complètement.

3. Dans un petit bol,
saupoudrer l'eau de
gélatine. Laisser gonfler
quelques minutes
puis chauffer au four à
micro-ondes quelques
secondes pour que la
gélatine se liquéfie.

4. Dans une casserole,
mélanger le sucre et
la fécule. Ajouter l'œuf
et la vanille et bien
mélanger. Ajouter le
lait chaud et fouetter.
Déposer sur le feu
et cuire en brassant
constamment jusqu'à
ce que la préparation
épaississe. Ajouter
la gélatine liquéfiée
et bien mélanger.

5. Verser dans un bol
et couvrir d'une
pellicule plastique
directement sur la
crème pâtissière.
Réfrigérer et laisser
refroidir complètement.

6. Au batteur électrique
ou au fouet, monter le
blanc d'œuf en neige
jusqu'à obtention de
pics fermes. Donner
un bon coup de fouet
à la crème pâtissière
réservée avant
d'incorporer
délicatement le
blanc d'œuf à l'aide
d'une spatule.

7. Garnir les trottoirs
de crème pâtissière,
puis disposer
harmonieusement
les fruits sur la
crème.

Pour 1 trottoir:
167 calories
6 g lipides
23 g glucides
3 g fibres

**PETIT
FORMAT**

Salade d'agrumes

Temps de préparation : 20 minutes
Cuisson : 1 minute / Infusion : 30 minutes
Portions : 4

INGRÉDIENTS

Sirop :

60 ml (1/4 tasse)
de sirop d'érable

60 ml (1/4 tasse)
d'eau

2 tranches
de gingembre frais

Fruits :

2 oranges

1 pamplemousse

2 clémentines

2 oranges
sanguines

PRÉPARATION

1. Mettre tous les
ingrédients du
sirop dans une
petite casserole.
Porter à ébullition
puis retirer du feu
et laisser infuser au
moins 30 minutes.
Retirer les tranches
de gingembre et
réfrigérer.

2. Peler les agrumes
à vif (trancher les
2 extrémités puis
passer la lame
d'un couteau bien
aiguisé sous la pelure,
de sorte qu'il ne reste
plus de blanc sur le
fruit). Faire de belles
tranches pour chaque
agrume.

3. Déposer les fruits dans
des assiettes de manière
à ce que les tranches
se chevauchent
légèrement. Verser
le sirop refroidi
sur les agrumes.

Variante :
*Pas envie de vous casser
la tête? Faites comme nous.
Déposez simplement
les agrumes dans de
belles coupes et garnissez
de zestes d'orange.*

*Rien de mieux en plein hiver
qu'une salade d'agrumes
pour terminer le repas.
Ces fruits venus d'ailleurs
sont particulièrement savoureux
et abondants en cette saison
et le sirop donnera une petite touche
toute spéciale à votre salade.*

Pour 1 portion:
173 calories
0 g lipides
39 g glucides
5 g fibres

Muffins au chocolat et à la courgette

Temps de préparation : 15 minutes
Cuisson : 20 minutes
Portions : 12

INGRÉDIENTS

250 ml (1 tasse)
de farine
de blé entier

250 ml (1 tasse)
de farine tout usage
non blanchie

125 ml (1/2 tasse)
de sucre

60 ml (1/4 tasse)
de cacao tamisé

125 ml (1/2 tasse)
de chocolat à 70 %
de cacao haché

5 ml (1 c. à thé)
de cannelle moulue

2,5 ml (1/2 c. à thé)
de poudre à pâte

2,5 ml (1/2 c. à thé)
de bicarbonate de
soude

125 ml (1/2 tasse)
de lait

60 ml (1/4 tasse)
d'huile de canola

2 œufs

625 ml (2 1/2 tasses)
de courgette râpée

PRÉPARATION

1. Préchauffer le four
   à 180 °C (350 °F).
   Disposer 12 cassolettes
   en papier dans des
   moules à muffins.

2. Dans un bol, mélanger
   les farines, le sucre,
   le cacao, le chocolat,
   la cannelle, la poudre
   à pâte et le bicarbonate
   de soude.

3. Dans un autre bol,
   mélanger le reste
   des ingrédients.

4. Ajouter la préparation
   d'ingrédients humides
   à celle d'ingrédients
   secs. Mélanger
   simplement pour
   que la pâte devienne
   homogène, sans plus.

5. Répartir la pâte dans
   les moules à muffins.
   Cuire au four jusqu'à
   ce qu'un cure-dent
   inséré au centre d'un
   muffin en ressorte
   propre, soit de 18 à
   20 minutes.

Pour 1 muffin:
207 calories
8 g lipides
31 g glucides
2 g fibres

Muffins aux bananes

Temps de préparation : 15 minutes
Cuisson : 18 minutes
Portions : 12

INGRÉDIENTS

180 ml (3/4 tasse)
de farine tout usage
non blanchie

60 ml (1/4 tasse)
de farine de blé entier

310 ml (1 1/4 tasse)
de flocons d'avoine
à cuisson rapide

80 ml (1/3 tasse)
de sucre

7,5 ml (1/2 c. à soupe)
de poudre à pâte

5 ml (1 c. à thé)
de bicarbonate
de soude

1 œuf

500 ml (2 tasses)
de bananes en purée

80 ml (1/3 tasse)
de beurre non salé
ou de margarine
non hydrogénée fondus

60 ml (1/4 tasse)
de noix de Grenoble
hachées

PRÉPARATION

1. Préchauffer le four
   à 180 °C (350 °F).
   Disposer 12 cassolettes
   en papier dans des
   moules à muffins.

2. Dans un bol, mélanger
   les farines, les flocons
   d'avoine, le sucre, la
   poudre à pâte et le
   bicarbonate de soude.

3. Dans un autre bol,
   mélanger l'œuf, les
   bananes en purée
   et le beurre ou la
   margarine fondus.

4. Ajouter la préparation
   d'ingrédients humides
   à celle d'ingrédients secs
   en brassant juste assez
   pour que le mélange
   devienne homogène.
   Ajouter les noix
   et donner un coup
   de cuillère.

5. Répartir la pâte dans
   les moules à muffins.
   Cuire au four jusqu'à
   ce qu'un cure-dent
   inséré au centre
   d'un muffin en
   ressorte propre,
   soit environ
   18 minutes.

J'ai parfois tendance à exagérer
dans l'achat de bananes
lorsqu'elles sont à bas prix.
Pas le choix, il faut donc avoir
sous la main une bonne recette
de muffins pour passer les bananes
bien mûres.

Pour 1 muffin:
200 calories
8 g lipides
44 g glucides
2 g fibres

Cupcakes au chocolat

Temps de préparation : 30 minutes
Cuisson : 20 minutes
Portions : 12

INGRÉDIENTS

160 ml (2/3 tasse) de sucre

80 ml (1/3 tasse) d'huile de canola

5 ml (1 c. à thé) de vanille

60 ml (1/4 tasse) de lait

250 ml (1 tasse) de crème sure légère 5 % m.g.

250 ml (1 tasse) de farine tout usage non blanchie

80 ml (1/3 tasse) de cacao tamisé

5 ml (1 c. à thé) de poudre à pâte

1 ml (1/4 c. à thé) de bicarbonate de soude

Une pincée de sel

Glaçage :

1 blanc d'œuf

45 ml (3 c. à soupe) d'eau froide

180 ml (3/4 tasse) de sucre

30 ml (2 c. à soupe) de sirop de maïs

30 g (1 oz) de chocolat noir à 70 % de cacao fondu

PRÉPARATION

1. Préchauffer le four à 180 °C (350 °F). Disposer 12 cassolettes en papier dans des moules à muffins.

2. Dans un bol, à l'aide d'un batteur électrique, fouetter le sucre, l'huile, la vanille, le lait et la crème sure jusqu'à obtention d'une consistance homogène et mousseuse.

3. Dans un bol, mélanger la farine, le cacao, la poudre à pâte, le bicarbonate de soude et le sel.

4. Ajouter la préparation d'ingrédients secs à celle d'ingrédients humides graduellement et mélanger jusqu'à ce que le tout soit homogène.

5. Répartir la pâte dans les moules. Cuire au four environ 20 minutes ou jusqu'à ce qu'un cure-dent inséré au centre de l'un des cupcakes en ressorte propre. Laisser refroidir complètement.

6. Chauffer de l'eau à feu doux dans une petite casserole. Hors du feu, dans un bol qui sera déposé sur la casserole sans toucher directement l'eau (concept du bain-marie), fouetter au batteur électrique, pendant environ 1 minute, le blanc d'œuf, l'eau, le sucre et le sirop de maïs. Placer le bol au-dessus de l'eau frémissante et continuer à fouetter à haute vitesse jusqu'à ce que le glaçage soit assez ferme, environ 7 minutes.

7. Ajouter le chocolat fondu et mélanger délicatement à la spatule jusqu'à ce que le chocolat soit bien incorporé.

8. Glacer les cupcakes généreusement.

Pour 1 cupcake:
242 calories
9 g lipides
39 g glucides
1 g fibres

Tartelettes au pamplemousse comme une crème brûlée

Temps de préparation : 25 minutes
Cuisson : 30 minutes
Portions : 4

INGRÉDIENTS

1/2 abaisse
de pâte sucrée
(voir page 56)

*Crème au
pamplemousse :*

45 ml (3 c. à soupe)
de beurre non salé

3 œufs

125 ml (1/2 tasse)
de jus de
pamplemousse

7,5 ml (1/2 c. à soupe)
de zeste
de pamplemousse

60 ml (1/4 tasse)
de sucre

20 ml (4 c. à thé)
de sucre

PRÉPARATION

1. Préchauffer le four
   à 180 °C (350 °F).

2. Abaisser la pâte à l'aide
   d'un rouleau à pâtisserie
   et en foncer 4 moules
   à tartelette de 10 cm
   (4 po) de diamètre
   et 3 cm de haut (1 po).

3. Mettre sur la pâte
   du papier parchemin
   découpé selon la forme
   du fond de la tartelette.
   Déposer des pois secs
   ou des billes en
   porcelaine et cuire
   au four environ
   10 minutes. Retirer
   les billes et le papier et
   poursuivre la cuisson
   environ 5 minutes
   jusqu'à légère coloration
   de la pâte. Laisser
   refroidir complètement.

4. Dans un bol, combiner
   le beurre, les œufs,
   le jus et le zeste de
   pamplemousse et le
   sucre. Placer au-dessus
   d'une casserole d'eau
   bouillant légèrement
   sur le feu et mélanger
   jusqu'à ce que la
   préparation épaississe,
   environ 15 minutes.
   Laisser tempérer.
   Verser dans les fonds
   de tarte et laisser
   refroidir complètement
   au réfrigérateur.

5. Lorsque le contenu
   des tartes est figé,
   saupoudrer
   délicatement de
   sucre et brûler à l'aide
   d'une minitorche
   à pâtisserie.

*Pourquoi en rester à la traditionnelle
tarte au citron ? Cette version au
pamplemousse vous surprendra,
tout comme son dessus caramélisé
comme une crème brûlée.*

Pour 1 tartelette :
364 calories
21 g lipides
36 g glucides
0,5 g fibres

Crêpes au Nutella ou à la confiture

Temps de préparation : 5 minutes
Cuisson : 5 minutes
Portions : 8

INGRÉDIENTS

Pâte à crêpes :

2 œufs

310 ml (1 1/4 tasse)
de lait

15 ml (1 c. à soupe)
de beurre non salé
fondu

2,5 ml (1/2 c. à thé)
de vanille

250 ml (1 tasse)
de farine tout usage
non blanchie

15 ml (1 c. à soupe)
de beurre

Garniture :

Nutella légèrement
chauffé

Confiture aux fruits
maison (fraises,
framboises, pêches,
etc.)

PRÉPARATION

1. Dans un bol, fouetter les œufs, le lait, le beurre fondu et la vanille. Ajouter la farine en pluie et fouetter jusqu'à ce que la pâte à crêpes soit lisse et homogène. Verser dans un contenant et réfrigérer quelques minutes avant utilisation.

2. Dans une poêle anti-adhésive ou dans une poêle à crêpes, badigeonner un peu de beurre à l'aide d'un papier absorbant ou d'un pinceau. Chauffer à feu moyen, verser environ 60 ml (1/4 tasse) de pâte et tourner la poêle dans tous les sens pour bien couvrir la surface. Cuire les crêpes jusqu'à ce qu'elles soient dorées des deux côtés. Au besoin, ajouter un peu de beurre entre les cuissons. Empiler sur une assiette et couvrir de papier d'aluminium pour les garder au chaud.

3. Sur les crêpes encore chaudes, tartiner une fine couche de Nutella ou de confiture de votre choix. Rouler et déguster sans tarder!

Amoureuse de la France, je ne pouvais passer à côté d'une recette de crêpes au Nutella. N'hésitez pas à garnir votre crêpe à votre goût, de fruits frais et de yogourt ou encore de compote de pommes et de yogourt glacé à la vanille.

Pour 1 crêpe:
200 calories
9 g lipides
25 g glucides
1 g fibres

Risotto épicé

Temps de préparation : 5 minutes
Cuisson : 35 minutes
Portions : 8

INGRÉDIENTS

125 ml (1/2 tasse)
de riz arborio
ou carnaroli

1 l (4 tasses)
de lait

125 ml (1/2 tasse)
de sucre

1 bâton de cannelle

1/2 anis étoilé

80 ml (1/3 tasse)
de raisins de Corinthe
(facultatif)

10 ml (2 c. à thé)
de cannelle moulue

PRÉPARATION

1. Déposer le riz dans
une grande casserole
et couvrir d'eau froide.
Porter à ébullition puis
retirer du feu et égoutter.

2. Remettre le riz dans
la casserole avec le lait,
le sucre, le bâton de
cannelle et l'anis.
Porter à ébullition
puis baisser le feu
et laisser mijoter, à
découvert, en brassant
très souvent au cours
de la cuisson. Cuire
environ 30 minutes
ou jusqu'à ce que la
préparation soit
crémeuse et le riz cuit.
Retirer le bâton de
cannelle et l'anis et
ajouter les raisins.

3. Verser dans un bol
et couvrir d'une
pellicule plastique
sur la surface du riz.
Réfrigérer jusqu'à ce
que le risotto soit
bien froid. Saupoudrer
de cannelle au
moment de servir.

Le riz à risotto procure à ce dessert une texture
si onctueuse qu'on croirait y avoir mis de la crème.
Pourtant, il est bien simplement préparé à base de lait.
Une belle façon, savoureuse et nutritive,
de clore votre repas.

Pour 1 portion:
181 calories
3 g lipides
25 g glucides
1 g fibres

Crème caramel

Temps de préparation : 20 minutes
Cuisson : 35 minutes
Portions : 4 portions

INGRÉDIENTS

160 ml (2/3 tasse)
de sucre

2 jaunes d'œufs + 1 œuf

500 ml (2 tasses)
de lait

5 ml (1 c. à thé)
de vanille

PRÉPARATION

1. Déposer 80 ml (1/3 tasse) de sucre dans une casserole. Chauffer le sucre jusqu'à ce qu'il soit fondu et d'un beau brun doré. Surveiller constamment la préparation. Verser dans 4 ramequins de 125 ml (1/2 tasse). Réserver.

2. Préchauffer le four à 180 °C (350 °F).

3. Dans un bol, fouetter les jaunes et l'œuf avec le sucre restant jusqu'à ce que le mélange blanchisse.

4. Dans une petite casserole, amener le lait à ébullition. Verser petit à petit sur le mélange d'œufs en brassant. Ajouter la vanille.

5. Verser dans les ramequins, puis déposer dans une lèche-frite contenant 2,5 cm (1 po) d'eau.

6. Cuire au four environ 35 minutes ou jusqu'à ce que les crèmes soient figées. Retirer de l'eau chaude immédiatement et réfrigérer. Servir très froid.

Voici une recette de crème caramel comme je les aime: pas trop ferme ni rebondissante, mais plutôt fondante en bouche.

Pour 1 portion:
238 calories
6 g lipides
40 g glucides
0 g fibres

Éclairs au chocolat

Temps de préparation : 35 minutes
Cuisson : 30 minutes
Portions : 8

INGRÉDIENTS

60 ml (1/4 tasse) d'eau

60 ml (1/4 tasse) de lait

Une pincée de sel

5 ml (1 c. à thé) de sucre

60 ml (1/4 tasse)
de beurre non salé

125 ml (1/2 tasse)
de farine tout usage
non blanchie

2 œufs

*Crème pâtissière
au chocolat :*

250 ml (1 tasse) de lait

60 ml (1/4 tasse)
de sucre

2 jaunes d'œufs

5 ml (1 c. à thé)
de vanille

45 ml (3 c. à soupe)
de fécule de maïs

60 g (2 oz) de chocolat
à 70 % de cacao haché

7,5 ml (1/2 c. à soupe)
de sucre en poudre

7,5 ml (1/2 c. à soupe)
de cacao

PRÉPARATION

1. Dans une petite
casserole, amener à
ébullition l'eau, le lait, le
sel, le sucre et le beurre.

2. Hors du feu, ajouter la
farine en une seule fois.
Mélanger énergiquement
avec une spatule
jusqu'à obtention d'une
consistance homogène.

3. Remettre sur le feu et
mélanger pour assécher
la pâte, environ 2 minutes.
Elle se décollera des bords
de la casserole.

4. Hors du feu, ajouter
les œufs, un à la fois,
en mélangeant vigoureu-
sement entre chaque
addition afin que la
pâte demeure bien homo-
gène. La pâte à choux
est prête lorsque le ruban
qui retombe de la spatule
est dense et large.

5. Préchauffer le four
à 200 °C (400 °F).

6. Dresser les éclairs à l'aide
d'une poche à pâtisserie
munie d'une douille sur
une plaque à pâtisserie
recouverte de papier
parchemin. Réaliser
des éclairs d'environ
10 cm (4 po) de long.

7. Cuire au four environ
30 minutes ou jusqu'à ce
que les éclairs aient bien
gonflé et aient pris une
belle coloration dorée.
Entrouvrir la porte après
10 minutes de cuisson
pour permettre à
l'humidité de s'échapper.
Laisser refroidir.

8. Entre-temps, préparer
la crème pâtissière.
Dans une casserole,
porter à ébullition le lait
et la moitié du sucre.

9. Dans un bol, fouetter
les jaunes d'œufs avec
le reste du sucre et la
vanille jusqu'à ce que
le mélange blanchisse.
Ajouter la fécule de
maïs et bien mélanger.

10. Verser le lait sucré
sur le mélange d'œufs
en fouettant. Remettre
la préparation dans la
casserole. Porter à
ébullition sans cesser
de fouetter jusqu'à ce que
le mélange épaississe.

11. Retirer du feu et ajouter
le chocolat haché. Lais-
ser fondre, mélanger
pour bien incorporer
et verser dans un bol.
Déposer une pellicule
plastique directement
sur la crème pâtissière.
Réfrigérer et laisser re-
froidir complètement.

12. Couper un petit chapeau
sur le dessus des éclairs.
Redonner un coup de
fouet à la crème pâtis-
sière pour qu'elle soit
de nouveau bien lisse.
À l'aide d'une poche
munie d'une douille
ou à la cuillère, garnir
les éclairs de crème
pâtissière et refermer.

13. Dans un bol, mélanger
le sucre en poudre et le
cacao. À l'aide d'un tamis,
saupoudrer les éclairs
de ce mélange. Garder
au réfrigérateur.

Variante :
*Si vous voulez un glaçage
comme sur notre photo,
procurez-vous du fondant
que vous trouverez dans
les boutiques spécialisées
en pâtisserie. Ajoutez-y un
peu de cacao et quelques
gouttes d'eau et faites-le
fondre quelques secondes
seulement au micro-ondes
avant d'en napper les éclairs.*

Pour 1 éclair:
205 calories
11 g lipides
22 g glucides
1 g fibres

Soufflés chauds au Baileys

Temps de préparation : 30 minutes
Cuisson : 13 minutes
Portions : 6

INGRÉDIENTS

**15 ml (1 c. à soupe)
de beurre non salé
fondu**

**30 ml (2 c. à soupe)
de sucre en poudre**

6 œufs, séparés

**180 ml (3/4 tasse)
de sucre en poudre**

**60 ml (1/4 tasse)
de farine tout usage
non blanchie**

**30 ml (2 c. à soupe)
de fécule de maïs**

**250 ml (1 tasse)
de lait**

**90 ml (3 oz)
de Baileys**

Sucre en poudre

PRÉPARATION

1. Préchauffer le four à 190 °C (375 °F). Beurrer les moules à soufflé (6 moules de 250 ml ou 1 tasse) à l'aide d'un pinceau. Verser le sucre en poudre puis tourner les moules pour que le sucre adhère bien partout au beurre. Retourner les moules pour retirer l'excédent.

2. Dans une casserole, fouetter les jaunes d'œufs avec 125 ml (1/2 tasse) de sucre jusqu'à ce que le mélange blanchisse. Incorporer la farine et la fécule de maïs et mélanger jusqu'à obtention d'une consistance homogène et lisse. Verser le lait et le Baileys dans la casserole et mélanger constamment jusqu'à ce que la préparation épaississe. Réserver.

3. Dans un bol, à l'aide d'un batteur électrique, monter les blancs d'œufs en neige. Ajouter graduellement le sucre en poudre et continuer à fouetter jusqu'à obtention de pics fermes.

4. Ajouter le quart des blancs d'œufs à la crème au Baileys et mélanger délicatement à l'aide d'une spatule jusqu'à ce que la préparation soit bien lisse. Terminer en ajoutant de la même manière le reste des blancs d'œufs.

5. Verser la pâte dans les moules. Cuire au four jusqu'à ce que les soufflés soient gonflés et bien dorés, soit environ 13 minutes. Saupoudrer de sucre en poudre et déguster aussitôt.

*N'ayez crainte, les soufflés n'ont rien de sorcier!
Par contre, ils n'attendent pas... alors soyez prêts
à les manger dès la sortie du four.*

Pour 1 soufflé:
257 calories
8 g lipides
31 g glucides
0 g fibres

S

PETIT
FORMAT

Panna cotta au yogourt

Temps de préparation : 5 minutes
Repos : 3 heures
Portions : 6

INGRÉDIENTS

15 ml (1 c. à soupe)
de gélatine

45 ml (3 c. à soupe)
d'eau

80 ml (1/3 tasse)
de sirop d'érable

750 ml (3 tasses)
de yogourt nature
2 % m.g.

1/2 gousse
de vanille fendue
et grattée

Coulis de framboises
(voir page 102)

PRÉPARATION

1. Dans un petit bol,
saupoudrer l'eau de
gélatine. Laisser gonfler
quelques minutes puis
chauffer au four à
micro-ondes quelques
secondes pour que
la gélatine se liquéfie.

2. Chauffer le sirop
d'érable dans une petite
casserole. Ajouter
la gélatine liquide
et bien mélanger.

3. Dans un bol, verser
le yogourt, puis ajouter
le sirop d'érable et
les graines de vanille.
Bien mélanger.
Répartir la préparation
dans 6 ramequins
de 125 ml (1/2 tasse).
Réfrigérer et laisser
refroidir jusqu'à ce que
le contenu soit bien figé.

4. Démouler en passant
la lame du couteau
sur le pourtour
des ramequins.
Accompagner d'un
coulis de framboises
ou du fruit de
votre choix.

Pour 1 portion:
145 calories
4 g lipides
21 g glucides
0 g fibres

Tiramisu aux framboises et à la crème de cassis

Temps de préparation : 30 minutes
Repos : 8 heures
Portions : 8

INGRÉDIENTS

2 jaunes d'œufs

60 ml (1/4 tasse)
de sucre

125 ml (1/2 tasse)
de mascarpone

180 ml (3/4 tasse)
de yogourt grec
nature 0 % m.g.

180 ml (3/4 tasse)
de crème à fouetter
35 % m.g.

Sirop :

80 ml (1/3 tasse)
d'eau

30 ml (2 c. à soupe)
de sucre

15 ml (1 c. à soupe)
de crème de cassis

8 biscuits
doigts de dame

250 ml (1 tasse)
de coulis de
framboises
(voir page 102)

20 ml (4 c. à thé)
de cacao

PRÉPARATION

1. Dans un bol, à l'aide
d'un batteur électrique,
fouetter les jaunes
d'œufs avec 30 ml
(2 c. à soupe) de sucre
jusqu'à ce que la prépa-
ration blanchisse et
devienne mousseuse.
Ajouter le mascarpone
et mélanger jusqu'à
ce que ce dernier soit
bien incorporé. Ajouter
ensuite le yogourt
et mélanger encore
jusqu'à ce que le tout
ait une consistance
bien lisse.

2. Dans un autre bol,
fouetter la crème
au batteur électrique
jusqu'à obtention de
pics mous. Ajouter
alors le reste du sucre
et continuer à fouetter
jusqu'à ce que la crème
soit prise et que les pics
formés deviennent
fermes.

3. À l'aide d'une spatule,
incorporer la crème
fouettée au mélange
de fromage très
délicatement, pour
que la préparation
finale soit bien
homogène. Réserver.

4. Dans une casserole,
chauffer l'eau et le sucre
jusqu'à ce que le sucre
soit bien dissous,
environ 2 minutes.
Ajouter la crème
de cassis et mélanger.
Laisser tempérer.

5. Répartir le coulis de
framboises dans le fond
des coupes à dessert.

6. Verser le sirop dans
une grande assiette à
fond plat. Tremper un
à un et très rapidement
les biscuits dans le
liquide, simplement
pour les humecter.
Couper les biscuits
en morceaux et les
répartir sur le coulis
de framboises. Ajouter
la préparation au
fromage sur les biscuits.
À l'aide d'un tamis,
saupoudrer de cacao
pour bien recouvrir le
dessus des tiramisus.
Réfrigérer au moins
8 heures ou toute
une nuit si possible.

Pour 1 portion:
228 calories
16 g lipides
17 g glucides
0 g fibres

Pêches épicées cuites au four

Temps de préparation : 5 minutes
Cuisson : 30 minutes
Portions : 4

INGRÉDIENTS

5 grains de poivre

8 pêches
bien mûres

20 ml (4 c. à thé)
de beurre non salé

15 ml (1 c. à soupe)
de miel

Le jus et le zeste
d'un citron

1 gousse de vanille
fendue et grattée

PRÉPARATION

1. Préchauffer le four
   à 180 °C (350 °F).

2. À l'aide d'un mortier
   ou d'un rouleau à
   pâtisserie, écraser
   les grains de poivre.

3. Couper les pêches
   en deux et retirer le
   noyau. Déposer dans
   un plat à gratin allant
   au four. Répartir le
   beurre en petites noix
   autour des pêches
   et ajouter le poivre.
   Verser le miel en filet
   sur les fruits, ajouter
   le zeste et le jus de citron
   et ajouter la vanille
   avec ses graines.

4. Cuire au four jusqu'à
   ce que les pêches soient
   bien fondantes, soit
   environ 30 minutes.
   Arroser plusieurs fois
   avec le jus durant
   la cuisson. Laisser
   tiédir avant de servir
   avec une boule de
   crème glacée
   à la vanille.

*Quand j'achète des paniers de pêches à la fin de l'été,
j'aime bien préparer cette recette. La pêche cuite,
comme de nombreux fruits d'ailleurs,
est si savoureuse!*

Pour 2 pêches:
122 calories
3 g lipides
22 g glucides
4 g fibres

Trempette crémeuse et « frudités »

Temps de préparation : 15 minutes
Cuisson : 1 minute / Repos : 8 heures
Portions : 8

INGRÉDIENTS

200 g (7 oz) de pastilles de chocolat blanc ou de chocolat blanc haché

125 ml (1/2 tasse) de crème à 35 % m.g.

30 ml (2 c. à soupe) de sirop d'érable

180 ml (3/4 tasse) de yogourt grec nature 0 % m.g.

Variété de fruits frais : fraises, melon, oranges, clémentines, etc.

PRÉPARATION

1. Déposer le chocolat dans un bol. Dans une casserole, chauffer la crème et le sirop d'érable et verser sur le chocolat. Laisser reposer quelques secondes, puis mélanger à l'aide d'un fouet jusqu'à ce que la préparation soit lisse.

2. Ajouter le yogourt et fouetter quelques secondes. Ne pas trop mélanger pour éviter les grumeaux. Déposer une pellicule plastique directement sur la trempette et laisser refroidir complètement au réfrigérateur.

3. Servir la trempette avec les « frudités ».

Qui a dit que la trempette était réservée aux légumes? Voici une délicieuse trempette à base de yogourt, de chocolat blanc et de crème. Pour des variantes : ajoutez des zestes d'orange ou de l'essence de vanille.

Pour 1 portion:
212 calories
14 g lipides
20 g glucides
0 g fibres

Granité au pamplemousse et à la fleur d'oranger

Temps de préparation : 10 minutes
Congélation : environ 4 heures
Portions : 4

INGRÉDIENTS

375 ml (1 1/2 tasse) de jus de pamplemousse rose fraîchement pressé

60 ml (1/4 tasse) de sucre

15 ml (1 c. à soupe) d'eau de fleur d'oranger

PRÉPARATION

1. Dans une casserole, mélanger le jus de pamplemousse et le sucre. À feu moyen, chauffer le mélange jusqu'à ce que le sucre soit dissous. Retirer du feu et ajouter l'eau de fleur d'oranger.

2. Verser la préparation dans un moule carré de 20 cm (8 po). Déposer au congélateur et laisser figer 1 heure. Sortir et gratter la surface à l'aide d'une fourchette. Remettre au congélateur et gratter toutes les heures. La préparation sera granuleuse et légère.

3. Au moment de servir, déposer le granité dans des coupes à dessert.

Voici ma recette toute personnelle de granité au pamplemousse. La préparation sera la même avec d'autres fruits, alors n'hésitez pas à utiliser d'autres agrumes!

Pour 1 portion:
77 calories
0 g lipides
20 g glucides
0 g fibres

m

MÉDIUM

[format moyen]

L'indice de gourmandise

Respectez la portion indiquée!

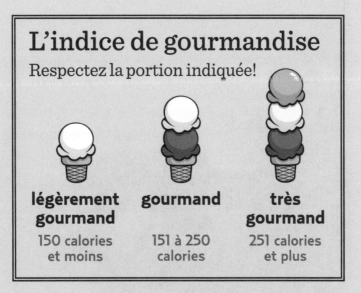

légèrement gourmand

150 calories
et moins

gourmand

151 à 250
calories

très gourmand

251 calories
et plus

Crumble aux pommes et aux prunes

Temps de préparation : 30 minutes
Cuisson : 40 minutes
Portions : 8

INGRÉDIENTS

Croustillant :

80 ml (1/3 tasse)
de farine tout usage
non blanchie

250 ml (1 tasse)
de flocons d'avoine

80 ml (1/3 tasse)
de cassonade

80 ml (1/3 tasse)
de beurre non salé
ou de margarine
non hydrogénée
ramollis

5 ml (1 c. à thé)
de cannelle moulue

Garniture :

30 ml (2 c. à soupe)
de cassonade

15 ml (1 c. à soupe)
de fécule de maïs

4 grosses pommes
Cortland, pelées
et coupées en dés

10 petites prunes
bleues ou 6 prunes
rouges, dénoyautées
et coupées en dés

PRÉPARATION

1. Préchauffer le four
à 190 °C (375 °F).

2. Mélanger tous
les ingrédients du
croustillant jusqu'à
obtention d'une
texture granuleuse.
Réserver.

3. Dans un bol, mélanger
la cassonade et la fécule
de maïs. Ajouter
les morceaux de fruits,
mélanger et remplir
un moule carré de
20 cm (8 po). Répartir
le croustillant sur
les fruits. Presser
pour bien répartir
la préparation.

4. Cuire au four environ
40 minutes ou jusqu'à
ce que le dessus soit
doré et croustillant et
que les fruits soient
bien cuits. Si le dessus
dore trop rapidement
au cours de la cuisson,
couvrir d'un papier
d'aluminium.

5. Servir tiède avec une
boule de crème glacée
ou du yogourt
à la vanille.

*Une recette de crumble s'imposait!
N'hésitez pas à utiliser les fruits
que vous avez sous la main : simplement
pommes, ou pommes et poires,
pommes et rhubarbe, fraises et rhubarbe...
Une savoureuse dose de fibres
et une excellente source de plaisir!*

Pour 1 portion:
236 calories
9 g lipides
37 g glucides
3 g fibres

Pouding aux pommes, sauce au caramel

Temps de préparation : 40 minutes
Cuisson : 25 minutes
Portions : 10

INGRÉDIENTS

8 pommes à cuire,
pelées et coupées
en gros cubes
(de type Cortland)

60 ml (1/4 tasse)
de cassonade

30 ml (2 c. à soupe)
de sucre

5 ml (1 c. à thé)
de cannelle moulue

Pâte :

410 ml (1 2/3 tasse)
de farine tout usage
non blanchie

15 ml (1 c. à soupe)
de poudre à pâte

Une pincée de sel

80 ml (1/3 tasse)
de beurre non salé
ou de margarine
non hydrogénée

125 ml (1/2 tasse)
de sucre

1 œuf

125 ml (1/2 tasse)
de lait

80 ml (1/3 tasse)
de marmelade
à l'orange maison
ou du commerce

Sauce au caramel :

20 ml (4 c. à thé)
de fécule de maïs

125 ml (1/2 tasse)
de cassonade

Une pincée de sel

250 ml (1 tasse) d'eau

30 ml (2 c. à soupe)
de beurre non salé

5 ml (1 c. à thé)
de vanille

PRÉPARATION

1. Préchauffer le four
   à 200 °C (400 °F).

2. Beurrer un plat allant
   au four de 30 cm x 20 cm
   (12 po x 8 po). Répartir
   les morceaux de
   pommes dans le plat
   et saupoudrer de
   cassonade. Mettre
   au four durant les
   étapes suivantes.

3. Dans un petit bol,
   mélanger le sucre
   (30 ml / 1 c. à soupe)
   avec la cannelle.
   Réserver.

4. Dans un bol moyen,
   mélanger la farine, la
   poudre à pâte et le sel.

5. Dans un autre bol,
   crémer au batteur électrique le beurre ou la
   margarine avec 125 ml
   (1/2 tasse) de sucre
   jusqu'à ce que le tout
   devienne léger et
   mousseux. Ajouter
   l'œuf et mélanger.

6. Ajouter le lait
   en alternant avec
   la préparation
   d'ingrédients secs.

7. Terminer en ajoutant
   la marmelade et
   mélanger encore pour
   homogénéiser la pâte.

8. Sortir les pommes
   du four. Répartir la
   pâte en l'étendant
   à l'aide d'une cuillère.

9. Saupoudrer du mélange
   de sucre et de cannelle.

10. Cuire au four environ
    25 minutes ou jusqu'à
    ce qu'un cure-dent
    inséré au centre du
    gâteau en ressorte
    propre.

11. Dans une petite
    casserole, mélanger
    la fécule de maïs,
    la cassonade et le
    sel. Ajouter l'eau et
    mélanger jusqu'à ce
    que le tout ait une
    consistance bien lisse.

12. Porter la préparation
    à ébullition en bras-
    sant constamment.
    Le mélange épaissira.
    Retirer du feu après
    les premiers bouillons.
    Ajouter le beurre et
    la vanille. Mélanger.
    Laisser tiédir.

13. Servir chaque
    morceau de pouding
    aux pommes nappé
    de sauce au caramel.

Pour 1 portion:
344 calories
9 g lipides
63 g glucides
2 g fibres

FORMAT MOYEN

Pouding aux dattes et au caramel

Temps de préparation : 25 minutes
Cuisson : 25 minutes
Portions : 10

INGRÉDIENTS

Sauce :

125 ml (1/2 tasse)
de beurre non salé

160 ml (2/3 tasse)
de cassonade

60 ml (1/4 tasse)
de crème 35 % m.g.

60 ml (1/4 tasse)
de lait

Pâte :

375 ml (1 1/2 tasse)
de dattes dénoyautées
hachées grossièrement

5 ml (1 c. à thé)
de bicarbonate
de soude

310 ml (1 1/4 tasse)
d'eau bouillante

310 ml (1 1/4 tasse)
de farine tout usage
non blanchie

5 ml (1 c. à thé)
de poudre à pâte

45 ml (3 c. à soupe)
de beurre non salé
ou de margarine
non hydrogénée
ramollis

160 ml (2/3 tasse)
de cassonade

2 œufs

45 ml (3 c. à soupe)
de noix de Grenoble
hachées

PRÉPARATION

1. Préchauffer le four à 180 °C (350 °F). Beurrer un plat carré allant au four d'environ 24 cm (9 po).

2. Dans une casserole, mélanger tous les ingrédients de la sauce. Chauffer jusqu'à ce que le beurre soit fondu, puis porter à ébullition et laisser bouillir environ 4 minutes jusqu'à obtention d'une consistance onctueuse. Verser la moitié de la sauce au fond du moule et réfrigérer durant la préparation de la pâte. Réserver le reste de la sauce.

3. Déposer les dattes dans un bol et ajouter le bicarbonate de soude. Verser l'eau bouillante et laisser ramollir les dattes.

4. Dans un bol, mélanger la farine et la poudre à pâte.

5. Dans un autre bol, crémer au batteur électrique le beurre ou la margarine avec la cassonade jusqu'à ce que le mélange soit homogène et devienne légèrement mousseux. Ajouter les œufs un à un, en mélangeant bien après chaque addition. Ajouter ensuite en mélangeant à la cuillère les ingrédients secs, les dattes puis les noix. Continuer de mélanger jusqu'à obtention d'une consistance lisse.

6. Verser la pâte dans le moule, sur la sauce. Cuire au four jusqu'à ce qu'un cure-dent inséré au centre du pouding en ressorte propre, soit de 25 à 30 minutes. À la sortie du four, piquer à l'aide d'une fourchette la surface du pouding. Réchauffer la sauce réservée et la verser sur le dessus du gâteau. Servir tiède.

Voici un dessert typiquement anglais, qui s'apparente à notre pouding chômeur. Un point positif pour ce délice énergétique à consommer avec modération : les dattes fournissent une bonne dose de fibres.

Pour 1 portion:
446 calories
19 g lipides
68 g glucides
3 g fibres

Pouding au pain aux raisins

Temps de préparation : 15 minutes / Repos : 20 minutes
Cuisson : 30 minutes
Portions : 8

INGRÉDIENTS

30 ml (2 c. à soupe)
de beurre non salé
fondu

8 tranches
de pain aux raisins

2 œufs

60 ml (1/4 tasse)
de sucre

5 ml (1 c. à thé)
de vanille

375 ml (1 1/2 tasse)
de lait

45 ml (3 c. à soupe)
de crème 35 % m.g.

Sirop d'érable

PRÉPARATION

1. À l'aide d'un pinceau, beurrer les tranches de pain. Couper ensuite les tranches en 4 pointes. Déposer les morceaux de pain dans un moule carré de 20 cm (8 po) de manière à ce qu'ils se chevauchent.

2. Dans un bol, fouetter les œufs et le sucre. Ajouter la vanille, le lait et la crème et mélanger jusqu'à obtention d'une consistance homogène.

3. Verser ce mélange sur le pain. Laisser imbiber pendant environ 20 minutes.

4. Préchauffer le four à 190 °C (375 °F).

5. Cuire au four jusqu'à ce que le pouding soit caramélisé, soit de 25 à 30 minutes. Déguster tiède ou froid en versant un filet de sirop d'érable sur chaque portion.

Pour 1 portion:
165 calories
7 g lipides
20 g glucides
1 g fibres

Flan pâtissier et son coulis de framboises

Temps de préparation : 40 minutes
Cuisson : 30 minutes
Portions : 8

INGRÉDIENTS

**1 abaisse de pâte sucrée
(voir page 56)**

Flan :

**830 ml (3 1/3 tasses)
de lait**

**125 ml (1/2 tasse)
de sucre**

**7,5 ml (1/2 c. à soupe)
de vanille**

**160 ml (2/3 tasse)
de fécule de maïs**

3 jaunes d'œufs

**15 ml (1 c. à soupe)
de gelée d'abricot
(facultatif)**

**7,5 ml (1/2 c. à soupe)
d'eau**

Coulis de framboises :

**15 ml (1 c. à soupe)
de fécule de maïs**

**15 ml (1 c. à soupe)
+ 80 ml (1/3 tasse)
d'eau**

**500 ml (2 tasses) de
framboises surgelées**

**30 ml (2 c. à soupe)
de sucre**

PRÉPARATION

1. Préchauffer le four
à 230 °C (450 °F).

2. Abaisser la pâte sucrée
et en foncer entièrement
un moule à charnière
de 20 cm de diamètre
(8 po), jusqu'au bord.
Réserver au réfrigéra-
teur le temps de prépa-
rer le reste de la recette.

3. Dans une casserole,
porter à ébullition
le lait avec 60 ml
(1/4 tasse) de sucre
et la vanille.

4. Dans un bol, mélanger
le reste du sucre avec
la fécule de maïs.
Incorporer les 3 jaunes
d'œufs en fouettant pour
obtenir une consistance
homogène. Ajouter
environ 30 ml
(2 c. à soupe) de lait
chaud si le mélange
est trop sec.

5. Verser le lait sucré et
vanillé encore chaud
sur le mélange d'œufs
sans cesser de fouetter.
Remettre la préparation
dans la casserole et
porter le mélange à
ébullition en brassant
constamment. Dès
les premiers bouillons,
retirer du feu et verser
dans la croûte froide.
Couper l'excédent
de pâte au besoin.

6. Cuire au four environ
25 minutes ou jusqu'à
ce que le flan soit figé
et le dessus bien coloré.

7. Laisser le flan refroidir
complètement au
réfrigérateur avant
de démouler.

8. Entre-temps, préparer
le coulis de framboises.
Dans un petit bol,
délayer la fécule dans
15 ml (1 c. à soupe) d'eau.
Réserver.

9. Mettre dans une
casserole le reste de
l'eau, les framboises et le
sucre. Porter à ébullition
puis baisser le feu et
laisser mijoter jusqu'à
ce que les framboises
soient cuites, environ
5 minutes. Ajouter
la fécule et brasser
quelques secondes
jusqu'à ce que le coulis
épaississe. Si désiré,
passer le coulis au tamis
pour retirer les graines
de framboises.

10. Chauffer dans une
petite casserole ou
au four à micro-ondes
la gelée d'abricot et
l'eau jusqu'à ce que
le mélange devienne
bien liquide. À l'aide
d'un pinceau, glacer
le dessus du flan avec
la gelée. Servir les
pointes de flan avec
le coulis de framboises.

Pour 1 portion:
351 calories
13 g lipides
51 g glucides
2 g fibres

Clafoutis aux poires

Temps de préparation : 15 minutes
Cuisson : 1 heure
Portions : 8

INGRÉDIENTS

4 poires de type Bartlett en tranches

Le zeste d'un citron

125 ml (1/2 tasse) de sucre

4 œufs

250 ml (1 tasse) de lait

60 ml (1/4 tasse) de farine tout usage non blanchie

125 ml (1/2 tasse) de crème à cuisson 15 % m.g.

15 ml (1 c. à soupe) de beurre fondu non salé

PRÉPARATION

1. Préchauffer le four à 190 °C (375 °F). Beurrer un moule carré de 20 cm (8 po).

2. Dans le moule, déposer les poires et saupoudrer du zeste de citron.

3. Dans le bol du robot culinaire ou du mélangeur, déposer tous les autres ingrédients et mixer jusqu'à ce que la préparation soit lisse et homogène. Verser le mélange sur les poires.

4. Cuire au four jusqu'à ce que le clafoutis soit figé et légèrement caramélisé, environ 1 heure.

Pour 1 portion:
200 calories
7 g lipides
31 g glucides
2 g fibres

Sabayon et ses petits fruits

Temps de préparation : 15 minutes
Cuisson : 5 minutes
Portions : 4

INGRÉDIENTS

125 ml (1/2 tasse)
de sucre

10 ml (2 c. à thé)
de fécule de maïs

2 œufs, séparés

180 ml (3/4 tasse)
de lait

5 ml (1 c. à thé)
de vanille

15 ml (1 c. à soupe)
de beurre non salé

500 ml (2 tasses)
d'un mélange de
petits fruits surgelés,
légèrement décongelés

30 ml (2 c. à soupe)
de cassonade

PRÉPARATION

1. Réserver 30 ml
(2 c. à soupe) de sucre.
Dans une petite
casserole, mélanger
le reste du sucre
et la fécule de maïs.
Incorporer les jaunes
d'œufs et le lait en
mélangeant bien.
Cuire à feu moyen
en brassant constam-
ment jusqu'à ce que
la préparation épais-
sisse. Ajouter hors
du feu la vanille et le
beurre, puis mélanger.
Verser dans un bol
propre et déposer une
pellicule plastique
directement sur la
préparation. Laisser
refroidir complètement
au réfrigérateur.

2. Dans un bol, monter
les blancs d'œufs
en neige au batteur
électrique. Lorsque
la mousse commence
à être plus ferme,
incorporer graduelle-
ment le sucre réservé
et monter les blancs
jusqu'à obtention de
pics fermes.

3. Incorporer délicatement
les blancs d'œufs à la
préparation de jaunes
d'œufs en pliant à l'aide
d'une spatule.

4. Déposer les fruits
dans un moule à soufflé.
Verser délicatement
le mélange d'œufs sur
les fruits et répartir
uniformément.
Saupoudrer de
cassonade.

5. Placer la préparation
sous le gril préchauffé
du four jusqu'à ce
que la cassonade
soit caramélisée,
de 2 à 3 minutes.
Déguster aussitôt.

Pour 1 portion:
254 calories
6 g lipides
45 g glucides
4 g fibres

Cake aux poires, au miel et à la vanille

Temps de préparation : 20 minutes
Cuisson : 40 minutes
Portions : 10

INGRÉDIENTS

60 ml (1/4 tasse)
de miel

2 poires de type
Bartlett pelées
et coupées en
petits dés

375 ml (1 1/2 tasse)
de farine tout usage
non blanchie

5 ml (1 c. à thé)
de bicarbonate
de soude

80 ml (1/3 tasse)
de beurre non salé
ou de margarine
non hydrogénée

60 ml (1/4 tasse)
de sucre

3 œufs

1 gousse de vanille,
fendue en deux
sur la longueur

15 ml (1 c. à soupe)
de miel chaud

PRÉPARATION

1. Préchauffer le four à
180 °C (350 °F). Déposer
du papier parchemin
dans un moule à pain
de façon à ce que
les deux extrémités
dépassent du moule.

2. Dans une petite
casserole, chauffer
le miel avec les dés
de poires quelques
minutes. Réserver.

3. Dans un bol, mélanger
la farine et le bicarbo-
nate de soude.

4. Dans un bol, à l'aide
d'un batteur électrique,
crémer le beurre ou
la margarine avec le
sucre, jusqu'à ce que le
mélange blanchisse et
devienne mousseux.
Ajouter les œufs un
à un, en remuant
entre chaque addition.
Ajouter les graines
de vanille retirées
de la gousse à la pointe
du couteau, ainsi que
la farine combinée
au bicarbonate de
soude, et continuer
de mélanger à basse
vitesse pour rendre
la pâte bien homogène.
Terminer en ajoutant,
à la cuillère en bois,
le mélange de miel
et poires.

5. Verser dans le moule
à pain. Cuire au four
environ 40 minutes
ou jusqu'à ce qu'un
cure-dent inséré
au centre du gâteau
en ressorte propre.

6. À la sortie du four,
badigeonner le cake
de miel chaud.

Pour 1 portion:
222 calories
8 g lipides
33 g glucides
1 g fibres

Tarte Tatin

Temps de préparation : 30 minutes / Repos : 1 heure
Cuisson : 1 heure
Portions : 6

INGRÉDIENTS

125 ml (1/2 tasse) de sucre

30 ml (2 c. à soupe) d'eau

30 ml (2 c. à soupe) de beurre non salé, en dés

5 grosses pommes de type Cortland ou Royal Gala

1 carré de pâte feuilletée de 18 cm x 18 cm (7 po x 7 po)

PRÉPARATION

1. Dans une casserole de 17 cm (6,5 po) de diamètre, cuire le sucre et l'eau à feu moyen jusqu'à obtention d'un caramel clair.

2. Retirer du feu et ajouter les dés de beurre.

3. Peler les pommes et les couper en quartiers. Disposer harmonieusement les pommes, la partie bombée au fond de la casserole, sur le caramel en un premier étage. Prendre soin de la disposition de cette première couche car c'est elle qu'on verra lors du démoulage de la tarte. Poursuivre avec un autre étage de pommes, cette fois-ci, la partie bombée vers le haut. S'assurer de n'avoir aucun espace vide entre les pommes Terminer par un dernier étage de fruits.

4. Mettre cette préparation à cuire à feu doux et poursuivre la cuisson jusqu'à ce que le sirop naturel créé devienne légèrement épais, soit environ 20 minutes. Retirer du feu et laisser refroidir complètement.

5. Préchauffer le four à 200 °C (400 °F).

6. Déposer le carré de pâte feuilletée sur les pommes bien refroidies en prenant soin de rentrer les coins entre le plat de cuisson et les fruits. Cuire au four jusqu'à ce que la pâte feuilletée soit bien dorée et gonflée, environ 35 minutes. Laisser refroidir quelques minutes, puis démouler. Déposer une assiette de service ronde sur la casserole et retourner d'un coup sec. Servir la tarte tiède ou froide.

Je désirais obtenir une tarte Tatin très généreuse en fruits... J'ai réussi. Les pommes fondent littéralement dans la bouche! Un délice.

Pour 1 portion:
180 calories
5 g lipides
33 g glucides
2 g fibres

FORMAT
MOYEN

Pain d'épices

Temps de préparation : 20 minutes
Cuisson : 30 minutes
Portions : 10

INGRÉDIENTS

375 ml (1 1/2 tasse)
de lait

125 ml (1/2 tasse)
de miel

60 ml (1/4 tasse)
de mélasse

250 ml (1 tasse)
de farine de blé entier

250 ml (1 tasse)
de farine tout usage
non blanchie

10 ml (2 c. à thé)
de poudre à pâte

5 ml (1 c. à thé)
de bicarbonate
de soude

2,5 ml (1/2 c. à thé)
de cannelle moulue

2,5 ml (1/2 c. à thé)
de muscade moulue

2,5 ml (1/2 c. à thé)
de gingembre moulu

PRÉPARATION

1. Préchauffer le four
à 180 °C (350 °F).
Déposer du papier
parchemin dans
un moule à pain
de façon à ce que
les deux extrémités
dépassent du moule.

2. Dans une casserole,
mélanger le lait, le miel
et la mélasse. Chauffer
sans faire bouillir
jusqu'à ce que le miel
et la mélasse soient
bien dissous. Laisser
tiédir.

3. Dans un grand bol,
mélanger tous les
ingrédients secs.
Former une fontaine et
y verser les ingrédients
liquides. Mélanger à
la cuillère jusqu'à
obtention d'une
consistance homogène.
Verser dans le moule.
Cuire au four jusqu'à
ce que la surface
du pain soit dorée
et qu'un cure-dent
inséré au centre en
ressorte propre, soit
environ 30 minutes.
Laisser refroidir avant
de démouler. Laisser
ensuite reposer
jusqu'au lendemain
avant de déguster
grillé, nature ou
tartiné de beurre
ou de marmelade.

Pour 1 portion:
183 calories
1 g lipides
39 g glucides
1 g fibres

Roulades aux fraises

Temps de préparation : 25 minutes / Repos : 1 heure
Cuisson : 25 minutes
Portions : 6

INGRÉDIENTS

180 ml (3/4 tasse)
de farine tout usage
non blanchie

125 ml (1/2 tasse)
de flocons d'avoine

7,5 ml (1/2 c. à soupe)
de poudre à pâte

60 ml (1/4 tasse)
de beurre non salé
ramolli

80 ml (1/3 tasse)
de lait

750 ml (3 tasses)
de fraises fraîches
en tranches

30 ml (2 c. à soupe)
de cassonade

PRÉPARATION

1. Dans un bol, mélanger
   la farine, les flocons
   d'avoine et la poudre à
   pâte. Ajouter le beurre
   et travailler la pâte avec
   les mains jusqu'à ce
   que le beurre ait la taille
   de petits pois. Faire une
   fontaine et verser le lait
   au centre. Mélanger
   pour former une boule.
   Ajouter un peu de farine
   au besoin. Réfrigérer
   la pâte 1 heure.

2. Préchauffer le four
   à 190 °C (375 °F).

3. Dans un bol, mélanger
   500 ml (2 tasses) de
   fraises et la cassonade.

4. À l'aide d'un rouleau
   à pâtisserie, abaisser
   la pâte sur une surface
   légèrement farinée.
   Réaliser un rectangle
   d'environ 30 cm x 20 cm
   (12 po x 8 po). Déposer
   les fraises au centre
   de la surface. Replier
   les 2 côtés sur les fraises
   pour former un rouleau.
   Couper les extrémités
   et recouper le rouleau
   en 6 tronçons. Déposer
   délicatement dans une
   assiette à tarte, les
   fraises vers le haut.
   Garnir chaque tronçon
   avec les fraises qui
   restent.

5. Cuire au four
   jusqu'à ce que les
   roulades soient dorées
   et les fraises bien
   juteuses, environ
   25 minutes.

Pour 1 roulade:
207 calories
9 g lipides
28 g glucides
3 g fibres

Fondue au caramel et fruits frais

Temps de préparation : 10 minutes
Cuisson : 5 minutes
Portions : 8

INGRÉDIENTS

60 ml (1/4 tasse) d'eau

125 ml (1/2 tasse) de sucre

80 ml (1/3 tasse) de cassonade

15 ml (1 c. à soupe) de sirop de maïs

45 ml (3 c. à soupe) de beurre non salé en dés

80 ml (1/3 tasse) de crème à cuisson 15 % m.g.

30 ml (2 c. à soupe) de fécule de maïs

180 ml (3/4 tasse) de lait

Fraises

Pommes en tranches

Melon en cubes

Poires en tranches

Bananes

Autres fruits au goût

PRÉPARATION

1. Dans une casserole, mélanger l'eau, le sucre, la cassonade et le sirop de maïs. Cuire jusqu'à obtention d'un caramel clair. Retirer du feu et ajouter les dés de beurre en fouettant. Ajouter la crème et bien mélanger.

2. Dans un bol, délayer la fécule de maïs dans le lait. Verser cette préparation sur le caramel et remettre sur le feu. Cuire en brassant constamment jusqu'à ce que le mélange épaississe.

3. Verser la préparation dans un caquelon à fondue et le déposer sur le réchaud à fondue. Déguster avec une belle variété de fruits frais.

Pour 1 portion:
236 calories
6 g lipides
46 g glucides
3 g fibres

Linzer aux framboises et aux noisettes

Temps de préparation : 30 minutes / Repos : 30 minutes
Cuisson : 40 minutes
Portions : 8

INGRÉDIENTS

1 l (4 tasses)
de framboises fraîches
ou surgelées

60 ml (1/4 tasse)
de sucre

180 ml (3/4 tasse)
de noisettes en poudre

180 ml (3/4 tasse)
de farine tout usage
non blanchie

80 ml (1/3 tasse)
de sucre

60 ml (1/4 tasse)
de beurre non salé

1 œuf

PRÉPARATION

1. Déposer les framboises et le sucre dans une casserole. Cuire à feu doux jusqu'à ce que les framboises soient en compote, environ 15 minutes. Laisser refroidir complètement.

2. Dans un bol, mélanger les noisettes avec la farine et le sucre. Ajouter le beurre en petits dés et travailler la pâte avec les mains jusqu'à obtention d'un mélange grumeleux. Ajouter l'œuf et mélanger à la main pour obtenir une boule de pâte. Envelopper dans une pellicule plastique et laisser reposer au réfrigérateur environ 30 minutes.

3. Préchauffer le four à 180 °C (350 °F). Déposer du papier parchemin dans un moule à pain de façon à ce que les deux extrémités dépassent du moule.

4. Couper 3/4 de la pâte et, à l'aide d'un rouleau à pâtisserie, sur une surface de travail légèrement farinée, rouler la pâte afin d'obtenir un rectangle de 30 cm x 18 cm (12 po x 7 po). Déposer le rectangle de pâte dans le moule en faisant remonter la pâte le long des bords. Verser la compote de framboises au centre et bien répartir sur la pâte. Rouler le reste de la pâte et couper des bandelettes à l'aide d'un couteau. Disposer les bandelettes en réalisant un quadrillage sur la compote. Presser les bandelettes sur les rebords pour sceller le gâteau. Cuire au four jusqu'à ce que le dessus soit bien doré, environ 40 minutes. Laisser refroidir complètement avant de démouler délicatement. Couper de belles tranches et déguster.

J'adore la rhubarbe et c'est pourquoi je vous suggère de remplacer les framboises par la même quantité de rhubarbe en tronçons lorsqu'elle est accessible au printemps. Le temps de cuisson pour la compote sera le même.

Pour 1 portion:
211 calories
11 g lipides
27 g glucides
2 g fibres

FORMAT
MOYEN

Mousse glacée au caramel, à la vanille et aux amarettis

Temps de préparation : 40 minutes
Cuisson : 8 minutes / Congélation : 3 heures
Portions : 8

INGRÉDIENTS

15 ml (1 c. à soupe)
d'eau

5 ml (1 c. à thé)
de gélatine

250 ml (1 tasse)
de sucre

125 ml (1/2 tasse)
d'eau

1/2 gousse
de vanille

2 blancs d'œufs

250 ml (1 tasse)
de crème à fouetter
35 % m.g.

8 amarettis
écrasés

PRÉPARATION

1. Déposer un papier parchemin dans un moule à pain de façon à ce que les deux extrémités dépassent du moule ou préparer 8 coupes à dessert.

2. Mettre 15 ml d'eau (1 c. à soupe) dans un petit bol et la saupoudrer de gélatine. Laisser gonfler quelques minutes puis chauffer au four à micro-ondes quelques secondes pour que la gélatine se liquéfie.

3. Déposer le sucre dans une casserole et cuire en surveillant constamment jusqu'à l'obtention d'un caramel doré. Ajouter 125 ml (1/2 tasse) d'eau. Chauffer à nouveau pour faire fondre le sucre recristallisé. Hors du feu, ajouter les graines de vanille et la gélatine, et bien mélanger. Laisser refroidir complètement.

4. Dans un bol, monter les blancs d'œufs en neige au batteur électrique.

5. Dans un autre bol, monter la crème jusqu'à obtention de pics fermes. Ajouter le sirop et les blancs d'œufs et mélanger délicatement à la spatule. Verser la préparation dans le moule ou les coupes et lisser la surface. Couvrir et laisser figer au congélateur au moins 3 heures. Couper en tranches et saupoudrer d'amarettis. À défaut d'amarettis, saupoudrer de cacao.

Je voulais proposer un dessert glacé qui ne nécessite pas de sorbetière ou d'autre machine. Ce dessert demande du temps, mais le résultat en vaut la peine et vous pourrez le conserver une semaine au congélateur.

Pour 1 portion:
227 calories
11 g lipides
31 g glucides
0 g fibres

L

LARGE

[gros format]

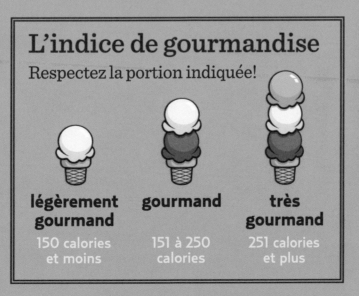

L'indice de gourmandise
Respectez la portion indiquée!

légèrement gourmand	gourmand	très gourmand
150 calories et moins	151 à 250 calories	251 calories et plus

Bûche aux noisettes et au citron

Temps de préparation : 30 minutes
Cuisson : 14 minutes
Portions : 8

INGRÉDIENTS

3 œufs, séparés

7,5 ml (1/2 c. à soupe)
de jus de citron
+ le zeste du citron

125 ml (1/2 tasse)
de sucre

60 ml (1/4 tasse)
de farine tout usage
non blanchie

5 ml (1 c. à thé)
de poudre à pâte

375 ml (1 1/2 tasse)
de noisettes en poudre

160 ml (2/3 tasse)
de crème à fouetter
35 % m.g.

15 ml (1 c. à soupe)
de Nutella

15 ml (1 c. à soupe)
de sucre en poudre

PRÉPARATION

1. Préchauffer le four
à 180 °C (350 °F).

2. Dans un bol, à l'aide
d'un batteur électrique,
battre les jaunes d'œufs
avec le jus de citron et
le zeste. Ajouter, petit
à petit, 80 ml (1/3 tasse)
de sucre jusqu'à ce que
le mélange blanchisse.

3. À basse vitesse, ajouter
la farine et la poudre
à pâte. Mélanger juste
le temps nécessaire
pour que la pâte
devienne lisse et
homogène. Réserver.

4. Dans un grand bol,
au batteur électrique
et avec des fouets
propres, mousser
les blancs d'œufs.
Ajouter le reste du
sucre et continuer
à fouetter afin d'obtenir
des pics fermes.

5. À la spatule, incorporer
délicatement les blancs
au mélange réservé en
pliant. Saupoudrer de
poudre de noisettes et
incorporer délicatement.

6. Verser et étendre
la pâte sur une petite
plaque à pâtisserie
(34 cm x 24 cm /
13 po x 9 po) recouverte
de papier parchemin.
Cuire au four jusqu'à
ce que le dessus du
gâteau soit légèrement
doré et qu'un cure-dent
inséré au centre en
ressorte propre, soit
de 12 à 14 minutes.
À la sortie du four,
retourner la plaque
sur un torchon propre
et rouler le gâteau.
Laisser refroidir.

7. Monter la crème
fouettée au batteur
électrique. Incorporer
progressivement
le Nutella. Fouetter
jusqu'à obtention
de pics fermes.

8. Dérouler délicatement
le gâteau. Glacer
l'intérieur du roulé
avec la crème fouettée.
Rouler à nouveau pour
que le gâteau reprenne
sa forme et déposer sur
une assiette de service.
Garnir de sucre en
poudre. Conserver
au réfrigérateur.

Pour 1 portion:
343 calories
24 g lipides
28 g glucides
2 g fibres

Gâteau aux carottes

Temps de préparation : 25 minutes
Cuisson : 20 minutes
Portions : 16

INGRÉDIENTS

250 ml (1 tasse)
de farine à pâtisserie

125 ml (1/2 tasse)
de farine de blé entier

10 ml (2 c. à thé)
de poudre à pâte

5 ml (1 c. à thé)
de bicarbonate
de soude

5 ml (1 c. à thé)
de cannelle moulue

2,5 ml (1/2 c. à thé)
de muscade moulue

160 ml (2/3 tasse)
d'huile de canola

160 ml (2/3 tasse)
de sucre

2 œufs

500 ml (2 tasses)
de carottes pelées
et râpées

125 ml (1/2 tasse)
de noix de Grenoble
hachées

80 ml (1/3 tasse)
de raisins secs

160 ml (2/3 tasse)
d'ananas broyés
et égouttés

Glaçage :

250 ml (1 tasse)
de fromage à la crème

250 ml (1 tasse)
de yogourt nature
grec 0 % m.g.

125 ml (1/2 tasse)
de sucre en poudre

5 ml (1 c. à thé)
de vanille

PRÉPARATION

1. Préchauffer le four
à 350 °F (180 °C).
Beurrer deux moules
ronds de 20 cm (8 po)
de diamètre, puis y
déposer au fond du
papier parchemin
découpé selon la
circonférence
des moules.

2. Dans un bol, mélanger
les farines, la poudre
à pâte, le bicarbonate
de soude et les épices.

3. Dans un autre bol,
fouetter l'huile et le
sucre. Ajouter les œufs
et continuer de fouetter
jusqu'à obtention d'une
consistance homogène.
À l'aide d'une cuillère en
bois, ajouter les carottes,
les noix, les raisins
et les ananas. Incorporer
le mélange d'ingrédients
secs. Répartir dans
les moules.

4. Cuire au four environ
20 minutes ou jusqu'à
ce qu'un cure-dent
inséré au centre d'un
gâteau en ressorte
propre.

5. Laisser refroidir
complètement avant
de démouler.

6. Pour le glaçage,
fouetter tous les
ingrédients jusqu'à ce
le mélange soit lisse,
homogène et légèrement
mousseux. Répartir
généreusement le
glaçage sur le premier
gâteau. Déposer le
second étage et
recouvrir du reste
de glaçage. Conserver
au réfrigérateur.

Voici une recette de gâteau aux carottes où j'ai réussi à réduire le sucre et l'huile tout en conservant toutes les qualités gustatives de ce grand classique. Et le glaçage moitié yogourt et moitié fromage à la crème permet de diminuer les matières grasses. Alors, tout est bon!

Pour 1 portion:
262 calories
11 g lipides
27 g glucides
1 g fibres

Gâteau brioché

Temps de préparation : 45 minutes
Cuisson : 25 minutes
Portions : 16

INGRÉDIENTS

Gâteau :

80 ml (1/3 tasse)
de sucre

125 ml (1/2 tasse)
d'eau chaude

1 sachet (8 g ou environ
10 ml / 2 c. à thé)
de levure sèche active

180 ml (3/4 tasse)
de beurre non salé

180 ml (3/4 tasse) de lait

2 œufs

Une pincée de sel

5 ml (1 c. à thé)
de vanille

1 l (4 tasses) de farine
tout usage non blanchie

*Garniture
au chocolat
et aux noix :*

30 ml (2 c. à soupe)
de cacao tamisé

80 ml (1/3 tasse)
de cassonade

105 ml (1/3 tasse)
de pacanes hachées

125 ml (1/2 tasse)
de chocolat noir à 70 %
de cacao haché

1 œuf battu

PRÉPARATION

1. Dans un grand bol,
   mélanger 5 ml (1 c. à thé)
   de sucre et l'eau chaude.
   Saupoudrer de levure
   et laisser de côté une
   dizaine de minutes ou
   jusqu'à ce que le mélange
   devienne mousseux.

2. Dans une casserole,
   mélanger le reste du
   sucre avec 125 ml
   (1/2 tasse) de beurre
   et le lait. Chauffer
   quelques minutes à feu
   moyen jusqu'à ce que
   le sucre soit dissous
   et le beurre fondu.
   Laisser tempérer.

3. Incorporer à l'aide
   d'un fouet la préparation
   tiédie de lait, les œufs,
   le sel et la vanille au
   mélange de levure.

4. Ajouter en pluie la
   farine et mélanger
   pour obtenir une boule
   lisse et homogène.

5. Sur une surface de
   travail légèrement
   farinée, pétrir la pâte
   jusqu'à ce qu'elle soit
   bien lisse et rebondisse
   au toucher, soit environ
   8 minutes. Déposer
   la pâte dans un grand
   bol légèrement huilé
   et la retourner pour bien
   l'enrober. Couvrir d'un
   linge propre et laisser
   gonfler dans un endroit
   tiède pendant environ
   1 heure ou jusqu'à
   ce qu'elle ait doublé
   de volume.

6. Dégonfler la pâte à l'aide
   du poing, en frappant
   dessus. Sur une surface
   de travail légèrement
   farinée, rouler la pâte
   à l'aide d'un rouleau à
   pâtisserie afin d'obtenir
   un rectangle de 55 cm x
   25 cm (22 po x 10 po)
   environ. Badigeonner
   la surface avec le reste
   du beurre fondu.

7. Dans un petit bol,
   mélanger le cacao et la
   cassonade. Répartir cette
   préparation sur le beurre.
   Garnir de pacanes et de
   chocolat. En prenant une
   extrémité, rouler la pâte
   afin d'obtenir un long
   rouleau. Pincer les deux
   extrémités pour sceller le
   rouleau. Tordre le rouleau
   de 6 à 8 fois en tournant
   les deux extrémités en
   sens opposés. Déposer
   le rouleau torsadé dans
   un moule à cheminée
   à fond amovible de
   25 cm (10 po). Couvrir
   d'un linge propre et
   laisser, une fois de plus,
   gonfler la pâte dans un
   endroit tiède environ
   1 heure, jusqu'à ce que
   le gâteau ait doublé
   de volume.

8. Préchauffer le four
   à 180 °C (350 °F).
   Badigeonner le dessus
   du gâteau d'œuf battu à
   l'aide d'un pinceau. Cuire
   au four jusqu'à ce que le
   gâteau soit bien doré,
   environ 25 minutes.
   Retirer du moule et
   laisser refroidir sur
   une grille à pâtisserie.

Pour 1 portion:
289 calories
13 g lipides
37 g glucides
2 g fibres

L

Gâteau au chocolat

Temps de préparation : 25 minutes
Cuisson : 45 minutes
Portions : 16

INGRÉDIENTS

150 g (5 oz)
de chocolat à 70 %
de cacao

160 ml (2/3 tasse)
d'huile de canola

160 ml (2/3 tasse)
de sucre

1 œuf

500 ml (2 tasses)
de farine tout usage
non blanchie

125 ml (1/2 tasse)
de cacao tamisé

15 ml (1 c. à soupe)
de bicarbonate
de soude

Une pincée de sel

125 ml (1/2 tasse)
d'espresso refroidi

125 ml (1/2 tasse)
d'eau

250 ml (1 tasse)
de babeurre faible
en gras 0,25 % m.g.

80 ml (1/3 tasse)
de crème 35 % m.g.

7,5 ml (1/2 c. à soupe)
de sirop de maïs

PRÉPARATION

1. Préchauffer le four
à 180 °C (350 °F).
Beurrer un moule
de type Bundt ou un
moule à cheminée.
Fariner le moule puis
tourner à l'envers pour
retirer l'excédent.

2. Dans un bol, faire fondre
60 g (2 oz) de chocolat.

3. Dans un autre bol,
à l'aide d'un batteur
électrique, battre
l'huile et le sucre.
Ajouter l'œuf et bien
mélanger. Ajouter
le chocolat fondu.

4. Dans un bol à part,
mélanger la farine,
le cacao, le bicarbonate
de soude et le sel.

5. Dans un autre bol
encore, mélanger
l'espresso, l'eau
et le babeurre.

6. À basse vitesse, ajouter
au mélange de sucre,
la préparation
d'ingrédients secs
en alternant avec les
ingrédients liquides.
Mélanger le tout
jusqu'à obtention
d'une consistance lisse.

7. Verser dans le moule
et cuire au four jusqu'à
ce qu'un cure-dent
inséré au centre en
ressorte propre, soit
environ 45 minutes.
Laisser refroidir
avant de démouler.

8. Dans une petite
casserole, chauffer
la crème. Ajouter les
90 g (3 oz) du chocolat
restant et le sirop de
maïs. Laisser fondre
le chocolat avant de
remuer. Mélanger
tranquillement jusqu'à
ce que la préparation
soit bien lisse. Laisser
refroidir quelques
minutes jusqu'à
ce que la ganache
ait une texture
assez consistante.
Verser sur le gâteau
complètement
refroidi.

Pour 1 portion:
255 calories
15 g lipides
83 g glucides
2 g fibres

Gâteau roulé aux framboises

Temps de préparation : 30 minutes
Cuisson : 12 minutes
Portions : 8

INGRÉDIENTS

3 œufs, séparés

180 ml (3/4 tasse) de sucre

15 ml (1 c. à soupe) de zeste de citron

80 ml (1/3 tasse) de jus d'orange

250 ml (1 tasse) de farine tout usage non blanchie

5 ml (1 c. à thé) de poudre à pâte

250 ml (1 tasse) de crème à fouetter 35 % m.g.

15 ml (1 c. à soupe) de sucre

Framboises fraîches

Sucre en poudre

PRÉPARATION

1. Préchauffer le four à 190 °C (375 °F).

2. Dans un bol, à l'aide d'un batteur électrique, fouetter les jaunes d'œufs avec le sucre, le zeste de citron et le jus d'orange jusqu'à ce que la préparation devienne mousseuse.

3. Dans un autre bol, mélanger la farine et la poudre à pâte.

4. Incorporer le mélange de farine et poudre à pâte à la préparation aux œufs et remuer légèrement pour que le tout ait une consistance homogène.

5. Dans un autre bol, monter les blancs d'œufs en neige jusqu'à obtention de pics fermes. Incorporer délicatement, à l'aide d'une spatule, les blancs à la pâte.

6. Verser, puis étendre la pâte sur une petite plaque à pâtisserie (34 cm x 24 cm / 13 po x 9 po) recouverte de papier parchemin. Cuire au four jusqu'à ce que le gâteau soit ferme et légèrement doré, de 10 à 12 minutes. À la sortie du four, retourner la plaque sur un torchon propre et rouler le gâteau. Laisser refroidir.

7. Monter la crème fouettée. Incorporer progressivement le sucre. Fouetter jusqu'à obtention de pics fermes.

8. Dérouler délicatement le gâteau. Glacer l'intérieur du roulé avec la crème fouettée et garnir de framboises. Rouler à nouveau pour que le gâteau reprenne sa forme et déposer sur une assiette de service. Garnir de sucre en poudre. Conserver au réfrigérateur.

Vous pourriez tout aussi bien réaliser ce gâteau dans un moule rond. Le temps de cuisson sera alors un peu plus long. Pour une variante plus santé, omettre la crème fouettée et tartiner simplement de confiture de framboises.

Pour 1 portion:
224 calories
11 g lipides
28 g glucides
1 g fibres

GROS
FORMAT

Gâteau aux fruits de Noël

Temps de préparation : 45 minutes
Cuisson : 2 heures 30 minutes
Portions : 12

INGRÉDIENTS

310 ml (1 1/4 tasse)
de raisins Sultana

125 ml (1/2 tasse)
de raisins de Corinthe

250 ml (1 tasse)
de dattes

180 ml (3/4 tasse) de
cerises rouges confites

180 ml (3/4 tasse)
d'écorces de fruits
confits

125 ml (1/2 tasse)
d'amandes rôties à sec

60 ml (1/4 tasse)
de pacanes rôties à sec

7,5 ml (1/2 c. à soupe)
de gingembre confit,
haché finement

310 ml + 10 ml
(1 1/4 tasse + 2 c. à thé)
de farine tout usage
non blanchie

2,5 ml (1/2 c. à thé)
de poudre à pâte

5 ml (1 c. à thé)
de cannelle moulue

1 ml (1/4 c. à thé)
de muscade moulue

1 ml (1/4 c. à thé)
de gingembre moulu

1 ml (1/4 c. à thé)
de clou de girofle
moulu

125 ml (1/2 tasse)
de beurre non salé
à la température
ambiante

125 ml (1/2 tasse)
de cassonade

30 ml (2 c. à soupe)
de miel

30 ml (2 c. à soupe)
de mélasse

3 œufs

60 ml (1/4 tasse)
de café fort refroidi

30 ml (2 c. à soupe)
de crème 35 % m.g.

PRÉPARATION

1. Préchauffer le four
   à 140 °C (275 °F).
   Tapisser un moule
   à pain de papier
   parchemin en le laissant
   dépasser sur deux côtés.
   Beurrer ensuite le papier.

2. Dans un bol, mélanger
   les raisins, les dattes,
   les cerises, les écorces,
   les noix et le gingembre
   confit. Saupoudrer
   de 10 ml (2 c. à thé)
   de farine et mélanger
   pour en enrober tous
   les ingrédients.

3. Dans un autre bol,
   mélanger le reste
   de la farine, la poudre
   à pâte et les épices.

4. Dans un autre bol
   encore, à l'aide d'un
   batteur électrique,
   crémer le beurre avec
   la cassonade, le miel
   et la mélasse jusqu'à ce
   que le mélange devienne
   léger et mousseux.

5. Ajouter les œufs
   un à un en battant
   vigoureusement après
   chaque addition. Ajouter
   le café froid et la crème
   et mélanger pour bien
   homogénéiser.

6. À basse vitesse,
   incorporer la
   préparation de farine,
   poudre à pâte et épices.
   Ne pas trop mélanger
   et terminer plutôt à
   l'aide d'une cuillère
   en bois.

7. Incorporer la prépara-
   tion de fruits et noix
   et bien mélanger à la
   cuillère. La pâte doit
   enrober tous les ingrédients également.

8. Répartir la pâte dans
   le moule. Lisser la
   surface à l'aide d'une
   spatule. Cuire au
   four environ 2 heures
   30 minutes ou jusqu'à
   ce qu'un cure-dent
   inséré au centre
   du gâteau en ressorte
   propre.

9. Laisser reposer
   quelques heures
   avant de démouler.

Pour 1 portion:
405 calories
13 g lipides
75 g glucides
3 g fibres

Gâteau au fromage

Temps de préparation : 30 minutes
Cuisson : 1 heure 30 minutes
Portions : 16

INGRÉDIENTS

310 ml (1 1/4 tasse)
de chapelure
de biscuits Graham

60 ml (1/4 tasse)
de beurre non salé
fondu

180 ml (3/4 tasse)
de sucre

30 ml (2 c. à soupe)
de farine tout usage
non blanchie

500 ml (2 tasses)
de ricotta légère
4 % m.g.

430 ml (1 3/4 tasse)
de fromage à la
crème léger

250 ml (1 tasse)
de crème sure
légère 5 % m.g.

4 œufs

2 jaunes d'œufs

5 ml (1 c. à thé)
de vanille

Coulis de framboises
(voir page 102)

PRÉPARATION

1. Préchauffer le four
   à 180 °C (350 °F).

2. Dans un bol, mélanger
   la chapelure de biscuits
   et le beurre fondu.
   Déposer dans le fond
   d'un moule à charnière
   de 20 cm (8 po). Cuire
   au four environ 15 mi-
   nutes ou jusqu'à ce
   que la chapelure soit
   légèrement dorée.
   Laisser refroidir.
   Baisser le four à
   170 °C (325 °F).

3. À l'aide du malaxeur
   ou du robot culinaire,
   mélanger le sucre et
   la farine. Ajouter tous
   les autres ingrédients
   et mélanger jusqu'à
   obtention d'une
   consistance lisse.

4. Envelopper
   hermétiquement le
   fond du moule à
   charnière dans du
   papier d'aluminium.
   Le moule ira dans un
   bain-marie. Verser
   la préparation au
   fromage dans le moule,
   sur la croûte.

5. Cuire au four environ
   1 heure 30 minutes,
   ou jusqu'à ce que le
   gâteau soit figé. Déposer
   à mi-cuisson du papier
   d'aluminium sur le
   gâteau si le dessus
   colore trop rapidement.
   À la sortie du four,
   retirer le gâteau du
   bain-marie. Laisser
   tiédir quelques
   minutes puis mettre
   au réfrigérateur jusqu'à
   refroidissement complet
   avant de démouler.
   Servir avec le coulis
   de framboises.

Pour 1 portion:
250 calories
12 g lipides
20 g glucides
1 g fibres

Produits alimentaires

[LES AGENTS LEVANTS]

[LE CHOCOLAT]

[LES CORPS GRAS]

[LA FARINE DE BLÉ]

[LES AUTRES FARINES,
LES FLOCONS ET FÉCULENTS]

[MULTIPLES LAITS]

[MULTIPLES CRÈMES]

[LES DÉRIVÉS
ET SUBSTITUTS DU LAIT]

[LES NOIX ET GRAINES]

[LES ŒUFS]

[LES PRODUITS GÉLIFIANTS]

[LE SUCRE ET
AUTRES PRODUITS SUCRANTS]

[DE SUCCULENTES GARNITURES]

Les agents levants

Que ferait le boulanger sans levure?

La levure est un champignon microscopique qui transforme une partie des sucres de la farine (amidon) en gaz carbonique et en alcool. Le gaz provoque la levée et l'alcool donne un arôme unique au pain et aux produits de boulangerie.

Levure pressée (fraîche) : forme classique, vendue en bloc ou en cube dans les épiceries et dans les boulangeries. Les boulangers l'émiettent directement dans la farine ou la font tremper quelques minutes dans l'eau pour la ramollir. Elle se conserve au réfrigérateur (peut également être congelée environ 6 mois) et doit être utilisée dans les jours suivant l'achat.

Levure sèche « traditionnellement active » : levure fraîche mécaniquement déshydratée et mise en granules. Elle s'achète en pot ou en sachet individuel à l'épicerie. Pour être réactivée, elle doit être mélangée à de l'eau tiède (à la température du corps humain : 37 °C / 96 °F) avec une pincée de sucre. Elle agit lentement et généralement 2 levées sont nécessaires.

Levure sèche « levée rapide » ou instantanée : granules encore plus fines que la levure sèche traditionnelle (également vendue en pot ou en sachet), elle se mélange directement à la farine sans nécessiter de réactivation et une seule levée est nécessaire.

Levure pour four à pain : similaire à la levure à levée rapide. Elle peut aussi être utilisée dans un four conventionnel.

Des chiffres : équivalences

20 g (0,7 oz) de levure fraîche
= 1 sachet de 8 g de levure sèche
(11 ml ou 2 1/5 c. à thé)

Toutes les levures sèches sont interchangeables volume pour volume.

Conservation et test d'activité

Une fois le pot de levure sèche ouvert, le meilleur endroit pour le conserver est le réfrigérateur. Avec le temps, la levure perd de sa force d'activité. Il est recommandé de l'utiliser dans les semaines à venir.

Active? Faites le test! Mélangez 5 ml (1 c. à thé) de sucre avec 60 ml (1/4 tasse) d'eau à la température du corps (37 °C / 96 °F). Ajoutez un sachet de levure (11 ml ou 2 1/5 c. à thé) et remuez. Laissez reposer une dizaine de minutes. Active, elle fera doubler le volume et produira une mousse légère.

*Voir la recette
du gâteau brioché
à la page 128*

Le bicarbonate de soude (ou bicarbonate de sodium)

C'est un composé naturel qui, en contact avec un ingrédient acide (jus de citron, vinaigre, babeurre, yogourt, mélasse, purée de fruits) et à la chaleur du four, dégage du dioxyde de carbone qui fera lever la pâte. Il doit être mélangé à la fin de la préparation et la pâte doit être enfournée rapidement pour éviter les pertes de gaz.

Poudre à pâte (ou levure chimique)

Contrairement à la levure de boulanger, la poudre à pâte contient des composés non vivants. Elle convient très bien à la levée des gâteaux mais ne pourrait remplacer la levure dans le pain et les brioches. Il s'agit en fait d'un combo de bicarbonate de soude et d'un composé acide (phosphate monocalcique). L'élément acide n'est donc pas nécessaire dans une recette pour que la réaction ait lieu. Comme la poudre agit également dès l'addition de liquide, il est important de terminer rapidement la préparation et de la mettre au four aussitôt prête.

Et les 2 à la fois?

Certaines recettes demandent à la fois l'utilisation de bicarbonate de soude et de poudre à pâte. C'est normal! Selon la quantité de farine utilisée, une dose précise d'agent levant est nécessaire pour obtenir la bonne proportion de gaz (trop n'est pas non plus souhaitable!). Alors, s'il n'y a pas assez d'ingrédients acides pour faire réagir de façon optimale le bicarbonate de soude, de la poudre à pâte est ajoutée dans la recette pour assurer la production idéale de gaz.

Conservation et test d'activité

Le bicarbonate de soude a une longue durée de vie. Conservez-le dans un endroit sec.

Il est conseillé d'utiliser la poudre à pâte dans l'année suivant l'achat. Conservez-la également dans un endroit sec.

Active, votre poudre à pâte ? Faites le test ! Mélangez 5 ml (1 c. à thé) avec 60 ml (1/4 tasse) d'eau. Active, elle produira beaucoup de bulles.

Le chocolat

Ce sont les Aztèques qui ont, en quelque sorte, inventé le chocolat en réalisant des breuvages qu'ils nommaient *tchocoatl*. Pour eux, le cacaoyer possédait des pouvoirs magiques et des origines divines. Ces vertus surnaturelles sont en partie restées dans nos traditions.

À la base, la cabosse

La cabosse, fruit du cacaoyer, a la forme d'un ballon de football. Elle renferme des graines de cacao qui sont retirées puis traitées, concassées et broyées, ce qui permet d'obtenir la pâte de cacao. Lorsque cette pâte est pressée, deux éléments en découlent : la poudre de cacao et le beurre de cacao.

Chocolat non sucré : pâte de cacao solidifiée sans sucre ajouté. Sa saveur est chocolatée mais son goût très amer le rend inconsommable tel quel. Il conserve sa forme à la cuisson.

Chocolats noirs (appelés aussi mi-amers ou mi-sucrés) : contiennent un minimum de 35 % de pâte de cacao, du beurre de cacao, du sucre et, à l'occasion, des émulsifiants. Ils sont interchangeables mais différent quant au goût.

Chocolat au lait : contient au moins 10 % de pâte de cacao, du beurre de cacao, de la poudre de lait et du sucre. Il a une saveur douce et une texture onctueuse. Il a tendance à brûler lorsqu'il est fondu (ce qui est dû à la présence des solides du lait).

Le chocolat blanc : ne contient pas de pâte de cacao. Il est fabriqué à partir du beurre de cacao additionné de sucre, de poudre de lait et d'essence de vanille. Comme le chocolat au lait, il a tendance à brûler lorsqu'il est fondu.

Le % de cacao, à chacun ses goûts!

Le pourcentage indiqué sur les emballages représente la proportion de pâte de cacao utilisée dans la fabrication du chocolat. Par exemple, un chocolat à 90 % de cacao contient peu de sucre, mais davantage de poudre et de beurre de cacao qu'un chocolat à 65 % de cacao. Plus le pourcentage est élevé, plus le chocolat a tendance à être amer.

Antioxydants, oui mais...

Le cacao contiendrait des antioxydants bénéfiques pour la santé du cœur. Le chocolat noir en comporterait davantage que le chocolat au lait, alors que le chocolat blanc n'en contiendrait pas du tout. Cependant, comme la quantité d'antioxydants à consommer pour bénéficier des effets protecteurs n'est pas connue, mieux vaut ne pas mettre tous nos espoirs dans le chocolat.

Bons et mauvais gras

Le chocolat est riche en deux types de gras : saturés et monoinsaturés. Ces derniers aideraient à diminuer le mauvais cholestérol et à faire augmenter le bon, mais les gras saturés sont généralement connus comme étant néfastes à la santé du cœur. Bémol! Certaines études ont démontré que les gras saturés du chocolat n'agiraient pas comme ils le font habituellement. Aucune hausse de cholestérol ne serait observée.

Antidéprime?

Le chocolat renferme des composés qui agiraient comme des antidépresseurs et des stimulants, mais ils seraient présents en quantité trop minimes pour être vraiment actifs... à moins de consommer des kilos de chocolat!

Conclusions santé

Étant très gras, le chocolat est très calorique! Un carré d'une tablette de chocolat noir contient autant de calories (56) qu'une demi-rôtie beurrée. Il pourrait expliquer l'apparition de maux de tête et de migraines et causer des reflux d'acidité chez les personnes sujettes à ces troubles. Côtés gais ou côtés sombres, le chocolat est un aliment plaisir à consommer avec modération!

Une masse de chocolat fondu

Plusieurs facteurs peuvent être responsables de la prise en masse du chocolat, comme l'ajout d'un liquide trop froid ou de simples gouttelettes d'eau tombées dans le bol. Le truc? Ajoutez plus de liquide! Allez-y graduellement en incorporant un liquide chaud (en général de l'eau) jusqu'à ce que la préparation redevienne lisse.

Des traces blanchâtres sur le chocolat

Elles sont dues à la présence du beurre de cacao qui a fondu et s'est resolidifié à la surface du chocolat. La consommation est sécuritaire et rien n'y paraîtra s'il est fondu.

Conservation des chocolats

Bien enveloppé, le chocolat se conserve dans un endroit sec à la température ambiante. Comme le chocolat blanc contient beaucoup de gras, il a tendance à rancir et se conserve moins longtemps (environ 4 mois) que les autres types de chocolat (de 6 mois à 1 an).

Les corps gras

Les corps gras jouent plusieurs rôles en pâtisserie : ils favorisent une mie moelleuse en bouche, contribuent à assurer une coloration variant selon le corps gras choisi, augmentent le volume des produits durant la cuisson et leur donnent un goût spécifique.

Le beurre

Le beurre (beurre salé) est composé à 80 % de matières grasses du lait, ainsi que d'eau, de sel, de solides de lait, de protéines, de lactose et de minéraux. Il existe plusieurs types de beurre :

Beurre non salé : non additionné de sel.

Beurre demi-sel : contient la moitié moins de sel que le beurre salé.

Beurre de culture : fabriqué à partir de crème additionnée de ferment (bactéries lactiques). Ce dernier donne un goût plus acide et plus prononcé que le beurre salé.

Beurre léger : contient 25 % moins de gras que le beurre salé. Il est obtenu en ajoutant de l'air et de l'eau au lait. Il n'est pas recommandé de l'utiliser dans les recettes qui demandent beaucoup de gras à cause de sa teneur plus élevée en humidité.

La margarine

Elle fut créée en 1869 afin d'offrir un produit moins coûteux que le beurre. Elle est fabriquée à partir d'huiles transformées en un solide par un procédé appelé hydrogénation. Des gras saturés et trans sont alors produits. Ces gras sont néfastes pour la santé cardiovasculaire. Pour répondre aux soucis de santé de notre société, de nouveaux procédés permettent de créer une margarine toujours tartinable mais sans gras trans. Elle est appelée « margarine non hydrogénée ».

Composition et couleur

Comme le beurre, la margarine est composée à 80 % de matières grasses (provenant des huiles, contrairement au gras du lait pour le beurre), ainsi que d'eau, de sel, de solides de lait et de stabilisateurs, et elle est enrichie en vitamines A et D. Il existe également des margarines sans sel et légères. Durant l'été 2008, la loi qui, depuis 20 ans, interdisait l'ajout de colorant jaune pour imiter le beurre est tombée et les fabricants ont de nouveau le droit de colorer la margarine.

Comment choisir une margarine?

Lisez les étiquettes! Une margarine plus saine doit contenir une quantité totale de gras saturés et trans inférieure à 2 g par 10 g de margarine. Écartez celles qui contiennent les mots suivants dans la liste des ingrédients : « hydrogénée », « partiellement hydrogénée », « shortening ». Ils indiquent la présence de mauvais gras.

Beurre ou margarine?

Il n'y a pas de bonne réponse! Tout dépend de l'utilisation qui en est faite. Pour certaines préparations comme les pâtes à tarte, je n'oserais jamais utiliser de margarine. Le goût du beurre est bien spécifique et son rôle dans une excellente pâte est primordial. Par contre, pour les muffins, cupcakes, glaçages et certains gâteaux, j'utilise la margarine non hydrogénée, qui renferme moins de gras saturés, est exempte de cholestérol et contient davantage de bons gras que le beurre. De plus, elle ne cause pas de différence notable de goût et de texture. Au final, tous les deux possèdent le même nombre de calories et de gras totaux et tous les deux doivent être consommés avec modération.

Les autres corps gras

Huile : les gâteaux à l'huile sont habituellement plus moelleux et souples que ceux faits avec du beurre (texture plus friable). Choisissez une huile neutre qui contient un bon ratio de gras (faible en gras saturés et riches en gras insaturés). L'huile de canola est un bon choix. Il est possible de remplacer le beurre dans les recettes par de l'huile, mais il faut diminuer la quantité de 25 %.

Shortening : huile animale ou végétale (ou une combinaison des deux) hydrogénée pour obtenir un solide. Ce processus crée des gras trans et saturés. Comme pour la margarine, de nouveaux procédés empêchent la formation de ces mauvais gras. Recherchez les produits non hydrogénés à l'épicerie. Son utilisation principale demeure pour la confection de la pâte brisée, mais le beurre fait aussi un bon travail.

Consommation élevée

En 2004, la consommation de gras (lipides) correspondait à 31 % de la consommation énergétique totale des Canadiens (la recommandation : 20 à 35 % de l'apport énergétique devrait provenir des lipides chez un adulte). Les produits de pâtisserie, comme les biscuits et les beignes, représentaient 8,5 % des lipides. Couper entièrement dans les matières grasses n'est pas la bonne approche ; une consommation modérée et des choix plus sensés sont la clé du succès! Cuisiner ses propres desserts pourrait-il être une bonne solution? Je crois que oui!

La farine de blé

L'époque est loin où les grains de l'épi étaient séparés à la main pour ensuite être grillés et broyés afin d'obtenir une poudre granuleuse nommée farine.

Quelle farine choisir?

Si différentes variétés de blé sont utilisées pour concevoir la farine, un constat s'impose : lors du raffinage du blé (traitement où le germe et le son du grain sont retirés), une grande partie des vitamines, minéraux et fibres alimentaires est également perdue. C'est le cas des farines blanches qui ne comportent qu'un seul élément du grain : l'endosperme. Pour compenser ces pertes, les farines raffinées sont obligatoirement enrichies au Canada.

Farine, farine blanche, farine blanchie enrichie, farine tout usage : fabriquée à partir d'un mélange de blé, elle sert aussi bien pour la préparation du pain que pour la pâtisserie. Des produits chimiques (chlorure et peroxyde de benzoyle) sont utilisés pour rendre la farine très blanche. Santé Canada assure que ces produits sont sécuritaires même s'ils sont interdits dans l'Union européenne. Elle est appelée farine de froment en France.

Farine non blanchie tout usage, farine blanchie naturellement : possède une couleur crème légèrement plus prononcée que la farine blanchie chimiquement. Aucune différence n'est perceptible sur le plan de la texture.

Farine à pâtisseries et à gâteaux : mouture fine et soyeuse faible en gluten (élément qui donne l'élasticité à une pâte). Elle est destinée à la pâtisserie et permet d'obtenir des gâteaux de texture très légère.

Farine instantanée : subit un procédé de mouture spécial créant une texture plus granuleuse que la farine tout usage qui s'insère bien dans les préparations humides sans causer de grumeaux.

Farine préparée : additionnée de poudre à pâte et de sel (250 ml ou 1 tasse de farine contient 75 ml ou 1/2 c. à soupe de poudre à pâte et 1 ml ou 1/4 c. à thé de sel). On la trouve le plus souvent sous la marque Brodie xxx. Dans les livres anglais, elle porte le nom de *self-rising flour*.

Farine à pain ou à boulanger : texture granuleuse à teneur élevée en gluten, idéale pour la confection de produits de boulangerie.

Farine de blé entier, farine de blé complet : contient 95 % du grain de blé, ce qui la rend plus nutritive, d'une couleur brunâtre et d'un goût plus prononcé que la farine blanche. Le germe est retiré pour éviter un rancissement trop rapide. Rendant les préparations plus lourdes, elle n'est pas appropriée pour les gâteaux délicats, mais elle peut remplacer la farine blanche dans les préparations moins fragiles, comme la pâte à crêpes, les muffins et les pains.

Coup de cœur!

Sur nos tablettes depuis quelques années, la Farine Nutri de Robin Hood est un mélange de farine blanche et de son de blé. Elle possède le même goût et confère la même texture aux gâteaux plus délicats que la farine blanche tout en ayant l'avantage d'offrir la même quantité de fibres alimentaires que la farine de blé entier. Un peu plus chère, mais c'est un investissement rentable si votre budget le permet.

Les bienfaits des grains entiers

Saviez-vous que le Guide alimentaire canadien recommande de consommer la moitié de nos portions de produits céréaliers sous forme de grains entiers? Ces derniers procurent de nombreux bienfaits pour la santé :

- Ils préviendraient ou diminueraient les risques de mortalité associés aux maladies du cœur.

- Ils auraient un effet protecteur contre le développement de certains types de cancer et du diabète de type 2.

- Ils aideraient à maintenir un poids santé et ainsi à réduire les risques de surplus de poids pouvant mener à l'obésité.

Mesurer la farine : un art!

Des écarts considérables peuvent être enregistrés lorsqu'on mesure la farine et ces différences changent notablement la texture des préparations délicates, comme les génoises et les gâteaux des anges. Aérez d'abord la farine à l'aide d'une cuillère avant d'y plonger la tasse à mesurer appropriée de manière à avoir un excédent. Avec un couteau, retirez cette farine supplémentaire en prenant bien soin de ne jamais taper ou compacter la farine.

Les autres farines, les flocons et féculents

Habituellement, le terme farine est associé au blé. Mais il existe d'autres farines. La provenance de ces dernières doit clairement être indiquée sur le sac.

Farine d'épeautre : variété ancienne de blé. La farine obtenue est équivalente par ses propriétés à celle du blé avec un goût plus prononcé.

Farine de seigle : de par sa teneur en gluten, elle permettra à la pâte de lever mais le résultat ne sera pas aussi léger qu'avec la farine de blé. Le pain pumpernickel est sans doute l'aliment qui représente le mieux cette farine.

Farine d'avoine : pauvre en gluten, elle ne fera pas lever la pâte à la cuisson. Elle peut être utilisée dans des produits peu délicats comme des galettes ou des barres.

Farine de maïs : bien connue dans les muffins au maïs, typiquement denses et granuleux. Pauvre en gluten, elle ne permet pas à la pâte de lever. À poids égal, elle est plus riche en fibres que la farine de blé entier.

Farine de soya : dépourvue de gluten, elle ne fera pas lever la pâte. Elle renferme plus de protéines que la farine de blé et dix fois plus de matières grasses. Elle est souvent combinée à la farine de blé en petite quantité pour augmenter la teneur en protéines de certains mets.

Farine de pomme de terre : l'amidon contenu dans la pomme de terre augmente le volume des pâtes, ce qui permet leur gonflement. Elle est dépourvue de gluten.

Farine de riz : sans gluten, elle est très utilisée en Asie pour confectionner divers mets et desserts.

Un souffle de vent ancien

Au Québec, quelques passionnés conçoivent encore la farine de manière artisanale selon la méthode de fabrication moulue sur meule de pierre. Ce sont les moulins à eau ou à vent qui actionnent les turbines faisant tourner les meules. La farine de sarrasin est sans doute le meilleur exemple de farine artisanale. Le goût unique du sarrasin permet la réalisation des fameuses galettes et crêpes « de blé noir » à la saveur toute spéciale.

Les céréales en flocons

De plus en plus, apparaissent à l'épicerie mais surtout dans les épiceries fines ou d'aliments naturels, des céréales en flocons. Il n'y a pas seulement l'avoine : place au kamut, à l'épeautre, au seigle, à l'orge, etc. J'adore utiliser ces céréales pour en faire un muesli maison ou pour remplacer une partie des flocons

d'avoine dans les muffins, barres et aussi dans les crumbles et croustades. Elles sont très nutritives et renferment une bonne dose de fibres alimentaires. Essayez-les!

Riz royal

Le riz fit son apparition en pâtisserie en 1248. Le roi de France Louis IX s'en régala tout juste avant d'embarquer pour la septième croisade. On raconte que le souverain fit halte à Sens où il dîna d'un délicieux riz au lait aux amandes.

Perle du japon ou... tapioca!

Savez-vous quelle est la composition du tapioca? Il est produit à partir d'un tubercule des régions tropicales, le manioc. Cette racine est lavée, râpée et séchée. L'amidon obtenu (le tapioca) forme de petites perles de grosseurs variées. Il est bien connu en dessert cuit dans le lait mais il est également utile pour épaissir les sauces et les mélanges de fruits.

Multiples laits

La pasteurisation (élévation de la température du lait pendant une courte période) est obligatoire et nécessaire pour détruire les bactéries pathogènes.

Lait écrémé : contient 0,1 % de matières grasses (m.g.) La vitamine A y est ajoutée à la suite des pertes causées par le retrait du gras, et il est enrichi en vitamine D.

Laits partiellement écrémé 1 % et 2 % m.g. : valeur nutritive semblable à celle du lait entier, à l'exception des matières grasses. De la vitamine A et D sont ajoutées.

Lait entier 3,25 % m.g. : enrichi en vitamine D. S'il n'est pas homogénéisé, il a tendance à se séparer.

Laits ultralait et ultrafiltre: ces laits sont passés à travers des filtres très fins ou dans une centrifugeuse avant la pasteurisation, éliminant 99 % des bactéries (conservation prolongée à 32 jours). Ils se divisent selon la teneur en gras et suivent les mêmes principes d'enrichissement (vitamines A et D) que les laits précédents.

Lait de beurre (ou babeurre) : il est fabriqué à partir de lait écrémé additionné d'un ferment qui transforme une partie du sucre du lait (le lactose) en acide lactique. C'est ce dernier qui donne ce goût caractéristique aigrelet. Truc pour remplacer le babeurre : mélangez 250 ml (1 tasse) de lait avec 15 ml (1 c. à soupe) de jus de citron ou de vinaigre.

Les laits à valeur ajoutée, intéressants?

Au Canada, la loi exige que ces nouveaux aliments soient désignés comme étant des boissons laitières et non du lait.

Lait sans lactose : convient aux personnes intolérantes au lactose (incapacité à digérer le lactose, le sucre présent naturellement dans le lait, causant des inconforts gastro-intestinaux). Il renferme une enzyme (la lactase) qui effectue le travail de digestion du lactose pour nous.

Lait enrichi en oméga-3 : intéressant pour combler vos besoins en ce composé essentiel, surtout si votre alimentation est pauvre en produits qui en contiennent (poissons surtout). Il est additionné d'huile de lin. Un verre (250 ml) comble environ 25 % de nos besoins.

Lait enrichi en calcium : un verre comble 40 % de nos besoins quotidiens en calcium (par rapport à 30 % pour le lait conventionnel). Il coûte également 25 % plus cher ! Intéressant si vous consommez très peu de lait et autres sources de calcium.

Lait bio : aucun avantage prouvé par rapport au lait conventionnel. Certains l'achètent car ils préfèrent son goût, d'autres par choix personnel. Une chose est sûre, il se vend parfois 80 % plus cher que le lait ordinaire!

Lait probiotique : similaire aux yogourts avec probiotiques. Ces composés auraient des effets bénéfiques sur les fonctions digestives et immunitaires. Chauffés, ils sont détruits.

Laits et tablettes

Lait stérilisé (ou UHT) : subit une stérilisation supplémentaire à très haute température, assurant une conservation prolongée (se conserve 3 mois si scellé). Il possède un léger goût de caramel.

Lait évaporé, condensé ou concentré (ex. : lait Carnation ou Crino) : pasteurisé puis concentré par évaporation (60 % de l'eau est retirée). Il possède une légère saveur de caramel. Il peut être dilué ou utilisé entier pour augmenter la valeur nutritive d'un aliment. Offert à 3,25 %, 2 % et 0,1 % m.g.

Lait concentré sucré (ex. : Eagle Brand) : même procédé que pour le lait évaporé mais additionné de 40 à 42 % de sucre. Il est très épais et très énergétique. Il existe une version réduite en gras.

Lait en poudre : la quasi-totalité de l'eau a été extraite. Le lait en poudre écrémé est le plus vendu de tous (les autres se détériorent plus rapidement). Concentré en énergie et en nutriments, il est surtout utilisé pour enrichir les préparations.

Le lait au banc des accusés?

Le lait est au cœur d'un chaud débat depuis plusieurs années. Pour certains, il s'agit de l'aliment par excellence pour sa qualité nutritionnelle. Pour d'autres, c'est un aliment poison uniquement destiné aux veaux et impropre à la consommation humaine. Une prise de position, même scientifique, semble ardue. Ce qui semble faire consensus, c'est qu'une consommation modérée de lait satisferait des besoins parfois difficiles à combler dans notre alimentation et procurerait des nutriments essentiels comme le calcium et la vitamine D. Les produits faibles en gras sont à privilégier.

Multiples crèmes

Embêtant de choisir la crème qui convient le mieux à vos besoins? Si nous étions habitués à voir la crème 15 et 35 %, de nouveaux pourcentages sont apparus, se déclinant en plusieurs adjectifs différents. La crème est obtenue en extrayant le gras du lait. Selon le pourcentage de matières grasses désiré, on obtient :

Crème 5 % : nouvellement apparue sur le marché, elle est en vente sous deux formes, « liquide » et « à cuisson ». Cette dernière est comparable à la crème 15 % ; c'est un excellent substitut pour réduire sa consommation de gras.

Crème 10 % : aussi appelée crème à café ou crème moitié-moitié. Elle est surtout utilisée dans le café et pour la préparation de chocolat chaud.

Crème 15 % : 2 types : la crème de table (ou crème « régulière ») et la crème à cuisson (ou crème champêtre ou crème à l'ancienne). La première est surtout utilisée pour napper les desserts et les fruits ou pour donner une touche onctueuse aux soupes et sauces en fin de cuisson. La seconde, de texture plus épaisse, est additionnée de stabilisants et d'émulsifiants qui lui font supporter la cuisson sans causer de grumeaux.

Crème 35 % : 2 types : la crème à fouetter et la crème à cuisson (ou crème champêtre ou crème à l'ancienne). La première est très polyvalente; elle est idéale pour être fouettée, est assez stable pour décorer les gâteaux et entrer dans la confection des mousses et elle peut être utilisée dans les plats en sauce. La seconde, comme pour la crème à cuisson 15 %, supporte la cuisson sans causer de grumeaux et elle est idéale pour la cuisine avec les alcools et les vins.

Crème fraîche : crème qui remonte à la surface du lait cru après quelques heures. Elle a naturellement un goût acide. Pour accélérer le processus de séparation, des centrifugeuses sont utilisées et des ferments lactiques sont ajoutés pour obtenir un goût et une texture semblables. En petites touches, elle accompagne bien les fruits frais et selon l'usage, peut remplacer la crème 35 %. Plus connue en France (appelée aussi crème épaisse), elle fait timidement son apparition dans nos comptoirs réfrigérés.

Crème sure : crème additionnée de ferments lactiques qui lui donnent sont goût caractéristique et sa texture légèrement épaisse. Contrairement à la crème fraîche, elle ne peut être chauffée. Elle est également appelée crème aigre en France. Offerte à 1, 4 et 16 % de m.g.

Quelques extras

Garniture fouettée : ne contient ni lait ni crème! À la place : de l'eau, du sirop de maïs, de l'huile hydrogénée et des stabilisants... à éviter!

Crème en aérosol : un bon dépanneur pour une touche exotique dans les desserts de dernière minute. Il s'agit de crème à 24 % m.g. Pour 3,99 $, vous aurez 1 litre de crème fouettée. Pour le même prix, vous auriez pu avoir 4 fois plus de crème fouettée à partir de la crème 35 % liquide.

Trucs pour bien réussir la crème fouettée

Durée du fouettement : attention, un excès entraînera la formation... de beurre! La crème doit bien se tenir, sans plus.

Température : une crème et un bol très froids permettent l'obtention d'une mousse optimale (une crème chaude risque de se transformer en beurre).

Utilisation rapide : la crème fouettée doit être utilisée rapidement car elle a tendance à s'affaisser avec le temps.

Stabilisants : l'agar-agar, la gélatine et la poudre de lait ne sont pas essentiels mais ils aident à empêcher l'affaissement naturel de la crème.

Avec modération

Comme indiqué dans la section des corps gras, la consommation de matières grasses est élevée dans notre société. Il est donc important de modérer la consommation d'aliments qui en sont riches. La crème, même la moins grasse, demeure un aliment plaisir qui ne devrait pas faire partie de notre alimentation au quotidien. Il existe différentes solutions pour remplacer la crème. Celle-ci peut être substituée entièrement ou en partie par du lait ou du yogourt dans certains desserts. De plus, il existe bien d'autres options pour garnir un gâteau que la crème fouettée. Comme le dit le vieux dicton : la modération a bien meilleur goût!

[PRODUITS ALIMENTAIRES]

Les dérivés et substituts du lait

Le yogourt en pâtisserie

Le yogourt est fabriqué à partir de lait additionné de ferments lactiques qui lui donnent son goût et sa texture spécifiques. Il n'y a pas d'avantage (sauf si le yogourt utilisé pour remplacer un autre produit est beaucoup plus faible en gras) pour la santé ou la qualité des desserts de cuisiner avec le yogourt. Il peut tout de même remplacer le lait, le babeurre et la crème sure en quantité égale, sauf pour le lait, où l'ajout d'un peu d'eau sera nécessaire pour obtenir la même texture liquide. Le yogourt de type méditerranéen, plus gras et plus épais (autour de 8 à 10 % m.g.), peut, en petite quantité, accompagner ou enjoliver un dessert. Il demeure une alternative plus santé qu'une cuillère de crème fouettée. Liberté a mis sur le marché un yogourt grec à 0 % m.g. qui a une texture incroyable. Je l'utilise à quelques reprises dans les recettes.

Les fameux probiotiques

Ils font énormément parler d'eux actuellement et ils sont souvent présents dans les yogourts. Ils contribueraient à l'équilibre de la flore intestinale, mais sachez que lorsqu'ils sont cuits, ces composés sont détruits.

Le kéfir : champagne lacté

Populaire en Europe de l'Est, le kéfir est, comme le yogourt, fabriqué à partir de lait additionné de ferments lactiques. On y ajoute également des levures qui transforment une partie du sucre du lait en gaz carbonique et en alcool. Le tout donne un yogourt pétillant! Curieux, essayez-le!

Les fromages en pâtisserie

Évidemment, la première image qui nous vient en tête est le traditionnel cheese-cake! Certains fromages sont des *musts* en pâtisserie :

Fromage à la crème : type pâte fraîche, onctueux, au goût de lait et de crème légèrement acidulé. Il est produit à partir de la coagulation de la crème, ce qui explique son pourcentage de matières grasses élevé (au moins 30 %). Sa texture particulière le rend idéal pour la confection des gâteaux et glaçages au fromage.

Mascarpone : que serait un tiramisu sans mascarpone? C'est un fromage à pâte fraîche d'origine italienne. Il ressemble à de la crème consistante. Il a un goût très doux, légèrement acidulé. Son taux de matières grasses est très élevé : parfois jusqu'à 90 %! Doit-on spécifier qu'il doit être consommé en petite quantité?

Fromage frais : appelé aussi fromage blanc, comme le fromage Damablanc ou le Quark à texture légèrement granuleuse, nouvellement introduit au Canada mais utilisé depuis longtemps en France. C'est un fromage à pâte fraîche qui possède une texture semblable au yogourt. Son taux d'humidité élevé et son très faible pourcentage de matières grasses en font un choix tout à fait santé. Il est délicieux servi nature avec des fruits, mais il peut aussi remplacer la totalité ou une partie du fromage à la crème dans les gâteaux au fromage.

Conservation et congélation

Comme tous ces fromages sont de type pâte fraîche, leur durée de conservation est d'environ 2 semaines (contenant scellé), mais une fois ouverts, ils doivent être consommés dans les jours à venir. Ils ne supportent pas bien la congélation, car leur texture est affectée par ce processus.

Boisson de soya, une alternative intéressante

Les composés du soya (phytoestrogènes et isoflavones) réduiraient les bouffées de chaleur à la ménopause et protégeraient des maladies cardio-vasculaires et de l'ostéoporose. Les boissons de soya sont de bonnes alternatives pour les gens qui n'aiment pas le goût du lait ou qui présentent une intolérance au lactose. Attention, choisissez les boissons enrichies (des vitamines et minéraux sont additionnés pour qu'elles soient équivalentes au lait de vache) et soyez vigilant quant à la teneur en sucre. Cherchez la mention « non sucré » sur l'étiquette et veillez à ce que la liste des ingrédients demeure courte.

Et le lait de coco?

Il n'a rien d'un lait! C'est un liquide préparé à partir de la pulpe de noix de coco râpée. Il ne doit pas être confondu avec l'eau de la noix (le liquide qui en sort lorsque le fruit est cassé). Le lait de coco doit être consommé avec modération, car il contient une quantité élevée de gras saturés, qui font grimper les risques de maladies du cœur en augmentant le mauvais cholestérol.

Les noix et graines

Les noix : pacanes, de Grenoble, noisettes, amandes...

Plusieurs études, dont une réalisée auprès de plus de 86 000 femmes, ont révélé qu'une consommation régulière de noix contribuerait à diminuer les risques de maladies du cœur. Ces impacts positifs sont dus, entre autres, au profil lipidique des noix (une grande proportion de gras polyinsaturés, de bons gras, dont les oméga-3). Elles renferment également des antioxydants, composés qui réduisent les dommages causés par les radicaux libres (certains cancers, maladies cardiovasculaires et maladies liées au vieillissement).

Rancissement

Il vous est sûrement déjà arrivé de croquer dans une noix rance. Le goût est assez inoubliable. Le rancissement est synonyme d'un manque de fraîcheur. Quelques trucs à l'achat :

- En écale, les noix ont plus de chance d'être fraîches. Choisissez des noix intactes, sans fissures, lourdes et qui n'émettent aucun son lorsqu'elles sont secouées.

- Écalées, elles doivent être dodues et craquantes, sans présenter de noircissement.

- Achetées en vrac, elles ne devraient pas avoir d'odeur de peinture ou de vernis (caractéristiques du rancissement).

- Évitez l'achat de noix déjà grillées.

- Achetez vos noix dans des épiceries où il y a un bon roulement et optez pour de petites quantités.

Griller ses noix

Le processus est semblable à la torréfaction des grains de café. Il contribue à faire ressortir toutes les saveurs des noix et à leur donner un craquant supplémentaire. Quelques techniques possibles :

Au four : Placez les noix sur une plaque à pâtisserie. Faites cuire à 180 °C (350 °F) pendant 5 minutes ou jusqu'à ce que les noix soient légèrement grillées et dégagent un arôme agréable.

À la poêle : Dans une poêle antiadhésive sans aucun ajout de gras, grillez les noix en brassant à l'occasion. Dès que les noix dégagent leur odeur, déposez-les sur une plaque froide pour stopper la cuisson.

Au four à micro-ondes : Déposez les noix dans une assiette allant au micro-ondes. Chauffez les noix à puissance maximale en remuant

chaque minute. Le processus prend de 2 à 4 minutes, selon les noix.

Conservation

En conservant les noix au frais, on ralentit le phénomène de rancissement. Transférez les noix dans un plat hermétique et conservez-les au réfrigérateur et même au congélateur si vous en consommez peu souvent.

Les graines : lin, sésame, tournesol, pavot...

Pas seulement bonnes pour les oiseaux! En plus de décorer joliment gâteaux et muffins, elles renferment une foule de nutriments qui contribuent à bonifier et enrichir les desserts. Leur teneur en oméga-3 retient principalement l'attention. Même si les études tendent à montrer que les oméga-3 des sources marines (poissons gras, par exemple) auraient des bénéfices plus marqués sur la santé du cœur, les experts recommandent tout de même de varier les sources (marines et végétales).

La graine de lin constitue la plus grande source d'oméga-3 d'origine végétale. Consommée quotidiennement, elle contribue à combler nos besoins pour ce type de composé essentiel.

À vos moulins

Pour que le corps absorbe les composés bénéfiques de la graine de lin, elle doit être moulue, sinon elle passera tout droit dans le système digestif. Utilisez un moulin à café électrique pour moudre de petites quantités selon votre usage ou de plus grandes quantités que vous conserverez au congélateur. Vous pourrez ainsi facilement ajouter quelques cuillères de graines de lin dans vos recettes de muffins, biscuits ou tout simplement dans vos yogourts et céréales.

Les œufs

L'œuf ou la poule?

L'œuf joue un rôle majeur en pâtisserie et renferme plusieurs éléments nutritifs sous sa coquille. En parlant de coquille, saviez-vous qu'il n'existe aucune différence de valeur nutritive ni de saveur entre les œufs bruns et blancs? La couleur de la coquille dépend de la race de poule. Seules différences : les œufs bruns ont une coquille plus épaisse, le jaune est plus foncé et ils coûtent légèrement plus chers que les œufs blancs.

Œufs améliorés : en valent-ils la peine?

Oméga-3, oméga pro : proviennent de poules qui consomment des graines de lin. Un œuf oméga-3 couvre de 20 % à 30 % de nos besoins en ces gras essentiels. Fait intéressant, les œufs liquides (voir catégorie suivante) oméga-3 ont été enrichis avec des sources marines. Ces dernières seraient plus efficaces pour l'organisme, mais les experts recommandent tout de même de varier les sources (végétales et marines).

Œufs liquides : vendus en berlingot, offerts en plusieurs types : œufs complets, que des blancs, que des jaunes, œufs oméga-3, etc. Y a-t-il vraiment un avantage? À volume égal, leur prix est comparable à celui des œufs blancs ordinaires (même pour ceux avec oméga-3).

Œufs poulets en liberté, bio : comme le nom l'indique, les poules ont le privilège de connaître l'espace. La plupart du temps, ces poules reçoivent une alimentation certifiée biologique. Mais la composition des œufs reste identique à celle des œufs ordinaires. Comme les coûts reliés à ce type d'élevage sont plus élevés, il n'est pas étonnant de payer le double pour ces œufs. Il s'agit donc d'un choix personnel.

La fameuse rengaine œuf et cholestérol : pas de quoi s'alarmer!

L'œuf a toujours été pointé du doigt comme ne pouvant faire partie d'une saine alimentation, à moins d'une consommation très restreinte. Récemment, plusieurs recherches ont été menées sur ce sujet, dont une qui montrait clairement que la consommation d'œufs affectait peu l'élévation du cholestérol sanguin et par conséquent le risque des maladies cardiovasculaires. Par sa teneur élevée en protéines de haute qualité ainsi qu'en vitamines et minéraux essentiels, l'œuf, sans tomber dans les excès, peut être consommé sans crainte par la majorité de la population.

Une neige optimale

Monter les blancs d'œufs en neige : vous verrez souvent ce terme en pâtisserie. En battant vigoureusement les blancs, les liens entre les protéines du blanc d'œuf se brisent. Une mousse se crée lorsque les protéines dénaturées se recombinent avec l'air incorporé en fouettant. Le volume final peut être 8 fois plus grand.

Des trucs pour bien réussir à faire monter les blancs :

- Utilisez des œufs frais.

- Utilisez des œufs et des bols à la température ambiante.

- Évitez d'utiliser des bols ou fouets en plastique (ils retiennent les gras, ce qui réduit le pouvoir moussant).

- Pour la même raison (présence de gras dans le jaune d'œuf), aucune trace de jaune ne devrait se mêler aux blancs.

- Les blancs monteront plus facilement si on y ajoute une pincée de crème de tartre. Trop en mettre rendra la mousse instable.

- Procédez délicatement si la préparation demande d'incorporer du sucre. L'ajouter lorsque la neige est souple.

De pee-wee à jumbo!

Des normes canadiennes sont établies pour classer les œufs selon leur poids :

- Pee-wee : moins de 42 g

- Petit : au moins 42 g

- Moyen : au moins 49 g

- Gros : au moins 56 g

- Très gros : au moins 63 g

- Jumbo : 70 g ou plus

De manière générale, lorsque vous lisez « œuf » dans une recette, il s'agit d'un œuf gros.

Conservation

Le carton reste le meilleur contenant pour conserver les œufs au réfrigérateur. De plus, la date de péremption restera bien en vue. Les jaunes et les blancs séparés peuvent être conservés au réfrigérateur pour un maximum de 4 jours (pour les jaunes, les placer dans un contentant hermétique en versant de l'eau de manière à les recouvrir afin d'empêcher qu'ils ne se dessèchent). Congeler des œufs entiers est impossible, mais le blanc ou l'œuf entier battu se congèleront sans problème un maximum de 4 mois. Le jaune résiste mal à la congélation.

Les produits gélifiants

Qu'ont en commun la panna cotta, les aspics, les mousses, la guimauve et même... le Jell-O? Ils contiennent tous un composé qui permet le phénomène de gélification : la gélatine.

Comment ça fonctionne?

La gélatine est faite de collagène (une protéine) extraite des cartilages, des os et de la peau du porc. Lorsque la gélatine est dissoute dans un liquide, les protéines se détachent les unes des autres. Mélangées aux autres ingrédients, les protéines se retrouvent « en flottement » dans la masse. De par leur nature, elles tenteront à nouveau de se réunir, emprisonnant les liquides autour d'elles et faisant ainsi figer la préparation.

Poudre et feuilles

Au Canada, nous utilisons davantage la gélatine en poudre (vendue à l'épicerie en sachet généralement sous la marque Knox). En Europe, les feuilles de gélatine sont plutôt employées. Les deux donnent des résultats similaires et sont interchangeables poids pour poids. Vous trouverez les feuilles de gélatine dans les épiceries et boutiques de pâtisserie spécialisées.

Des chiffres

- 1 sachet = 7 g = environ 12 ml (2 1/2 c. à thé)

- 1 feuille = 2 g

- 4 feuilles = 1 sachet (ces 2 quantités sont suffisantes pour gélifier 500 ml (2 tasses) de liquide)

Les trois règles d'or

Ramollir : saupoudrez la gélatine en poudre sur 60 ml (1/4 tasse) d'eau froide (ou le liquide employé dans la recette). Remuez et laissez gonfler 2 minutes. L'eau sera absorbée. Pour les feuilles : immergez-les dans de l'eau très froide et laissez-les reposer 5 minutes. Essorez-les avant de poursuivre.

Fondre : si la gélatine est utilisée dans une préparation froide, elle doit être fondue avant d'être incorporée au mélange. Chauffez-la sur le feu ou au four à micro-ondes et incorporez-la à la préparation en mélangeant bien pour la dissoudre complètement. Si la préparation demande une cuisson, ajoutez directement la gélatine aux autres ingrédients. Chauffez en remuant pour dissoudre entièrement la gélatine.

Refroidir : après 4 heures au réfrigérateur, la gélatine aura fait son travail et la préparation sera figée.

Pourquoi un mélange de fruits ne fige pas?

Certains fruits interagissent avec les protéines de la gélatine, l'empêchant de gélifier. C'est le cas du kiwi, de l'ananas, de la figue, de la papaye, de la goyave et du melon miel. Pour contrer ce processus, les fruits doivent être cuits. Les fruits en conserve qui subissent une cuisson permettront quant à eux une gélification adéquate.

L'agar-agar

Il existe un autre ingrédient qui, contrairement à la gélatine d'origine animale, convient aux végétariens. Il s'agit de l'agar-agar obtenu à partir d'algues rouges. Il est très utilisé en Asie et il se nomme *kanten* en japonais. L'agar-agar est en vente dans les magasins d'aliments naturels et dans les épiceries asiatiques. On le trouve sous différentes formes : en barre, en filaments, en poudre ou en flocons. Son utilisation est simple, il suffit de le mélanger au liquide de la recette, puis de porter le mélange à ébullition en remuant pour le dissoudre complètement.

Plus ferme

Le résultat final diffère de celui obtenu avec la gélatine. La texture des produits est beaucoup plus ferme et demande une légère mastication. La quantité d'agar-agar à utiliser pour remplacer la gélatine n'est pas équivalente : 1 sachet de gélatine (4 feuilles) peut être remplacé par 30 ml (2 c. à soupe) d'agar-agar en flocons ou 7,5 ml (1/2 c. à soupe) en poudre.

La fécule de maïs

Il s'agit d'une mouture fine de grains de maïs très riche en amidon. C'est ce dernier qui donne à la fécule ses propriétés épaississantes. En pâtisserie, elle est utilisée pour épaissir des préparations liquides (crème pâtissière, garniture pour tarte au citron, etc.). La fécule de maïs doit toujours être délayée dans de l'eau froide avant d'être incorporée à un mélange chaud (pour éviter la formation de grumeaux). En France, elle est commercialisée sous le nom de Maïzena.

Le sucre et autres produits sucrants

Le grand voyage du sucre

La culture de la canne à sucre, originaire d'Océanie, remonte à plus de mille ans avant notre ère. Au VIIᵉ siècle, elle apparaît en Inde, en Chine, puis en Perse, où le sucre fait timidement ses premiers pas en cuisine. Même si ses vertus médicinales et thérapeutiques retiennent davantage l'attention, les cuisiniers arabes font des merveilles en pâtisserie. La culture est ensuite importée en Grèce, pour rejoindre l'Espagne et le Portugal. Ce sont les croisés, au XIIᵉ siècle, qui font connaître le sucre de canne à la France. Puis, au XVᵉ siècle, il traverse l'océan Atlantique avec la découverte des Amériques. La culture de la canne à sucre connaît une réelle expansion au Brésil et dans les Antilles, qui sont encore de nos jours deux centres majeurs de production. Le sucre devient un enjeu économique important et connaît également une baisse des prix. Jusqu'alors, son coût élevé expliquait que seuls les gens aisés pouvaient se permettre de l'utiliser. Cette chute de prix a entraîné une augmentation de la consommation de sucre.

Les sucres blancs

Sucre blanc granulé : sucre tout usage en granules fines (parfois retrouvé en cubes). Lorsqu'une recette demande simplement du sucre, il s'agit de celui-ci.

Sucre à fruits : plus fin que le sucre blanc, il se dissout rapidement, ce qui le rend idéal dans les préparations froides. Dans les livres anglais, il est nommé *caster sugar*. Un truc : broyez le sucre blanc granulé au robot culinaire et vous obtiendrez du sucre à fruits!

Sucre à glacer ou sucre en poudre : sucre blanc moulu très finement auquel est additionnée de la fécule de maïs (de 3 à 5 %) afin d'empêcher la formation de grumeaux. Très utilisé pour la confection des glaçages.

Les sucres bruns

Cassonade : mélange de sucre blanc et de mélasse. Plus la quantité de mélasse est élevée, plus la couleur et le goût seront prononcés.

Sucre turbinado (sucre de plantation ou sucre nature) : sucre légèrement raffiné, composé de gros cristaux plus ou moins colorés. Il est surtout utilisé pour sucrer les boissons chaudes.

Sucre demerara : fabriqué à partir du sirop de la canne à sucre contenant encore la mélasse. Des sucres de type demerara sont réalisés en ajoutant du sirop et du caramel à de gros cristaux de sucre. Il est très humide.

Muscovado : comparable à la cassonade, avec un goût plus prononcé de mélasse et de caramel. Il possède une texture fine et humide.

Sucre de canne : blond ou doré, il est extrait du jus de la canne à sucre. Il peut remplacer le sucre ou la cassonade.

Du sucre de betterave?

Au XVIe siècle, des chercheurs découvrent que le sucre de la betterave est identique à celui de la canne à sucre. Timidement, sa culture débute. Ce n'est qu'en 1806, à la suite du blocus des marchandises en provenance d'Angleterre, que Napoléon propulse la culture de la betterave sucrière en France pour remplacer le sucre de canne. De nos jours, les 2/5 de la production de sucre proviennent de la betterave.

Sucre blanc, trucs de remplacement

Il est possible de remplacer le sucre blanc par un autre sucre, mais le produit final sera différent quant au goût, à la coloration et à la texture.

Remplacez 250 ml (1 tasse) de sucre par :

- 250 ml (1 tasse) de cassonade, demerara, turbinado, muscovado ou de sucre de canne blond ;

- 180 ml (3/4 tasse) de miel, ôtez 30 ml (2 c. à soupe) de liquide de la recette et ajoutez 1 ml (1/4 c. à thé) de bicarbonate de soude ;

- 250 ml (1 tasse) de sirop d'érable, ôtez 60 ml (1/4 tasse) de liquide de la recette ou augmentez la quantité de farine de 60 ml (1/4 tasse) ;

- 250 ml (1 tasse) de mélasse, ôtez 60 ml (1/4 tasse) de liquide de la recette ou augmentez la quantité de farine de 60 ml (1/4 tasse) et ajoutez 1 ml (1/4 c. à thé) de bicarbonate de soude ;

- 310 ml (1 1/4 tasse) de sirop de maïs, ôtez 60 ml (1/4 tasse) de liquide de la recette ou augmentez la quantité de farine de 60 ml (1/4 tasse).

La cassonade en bloc

Quand la cassonade prend en bloc, c'est qu'elle a perdu son humidité. Pour y remédier, déposez la masse dans un plat allant au four à micro-ondes et chauffer environ 30 secondes. Vous pourrez ensuite la défaire facilement à la fourchette. Conservez-la avec un morceau de pain ou un agrume dans un sac ou un contenant hermétique (changer le pain ou le fruit à l'occasion). L'humidité de l'aliment se transférera à la cassonade, qui restera malléable. Il existe également des formes en argile qui fonctionnent assez bien. Celles-ci doivent être immergées dans l'eau et bien essuyées avant d'être déposées dans la cassonade.

Les sucres liquides

Mélasse : sirop visqueux obtenu à la fin de l'extraction du sucre de canne. Il existe deux types de mélasse : fantaisie (la plus répandue, saveur douce et couleur foncée) et verte (ou *blackstrap*, moins sucrée et qui renferme plus d'éléments nutritifs).

Sirop d'érable : obtenu à partir de la réduction et la cuisson de l'eau d'érable. Différents types de sirop (extra clair, clair, ambré, foncé) sont obtenus selon le moment de la saison où la sève est recueillie.

Miel : produit par les abeilles à partir du nectar des fleurs qu'elles récoltent. Selon les fleurs et le moment de la récolte, la couleur du miel varie de pâle à foncée et la saveur, de douce à prononcée. Il s'agirait du plus ancien produit sucrant connu.

Sirop de maïs : préparé à partir de fécule de maïs. Le produit obtenu est incolore. On trouve deux types de sirop en épicerie : l'incolore et l'ambré. Ce dernier est additionné d'un sirop de raffineur, de vanille et d'un peu de sel.

Les Canadiens ont la dent sucrée

Pendant des siècles, la consommation de sucre au Canada a été inférieure à 2 kg par personne par année, tandis que les plus récentes statistiques (2007) indiquent une consommation de 32 kg par Canadien ! Faible consolation, ce chiffre est à la baisse depuis les dernières années.

Sucre et santé

Le sujet préoccupe énormément les scientifiques depuis quelques années. Notre métabolisme ne réagirait pas de la même manière à tous les types de sucre, ce qui empêche de cerner précisément leur rôle dans certaines maladies. Il est démontré qu'une trop grande consommation contribue à la carie dentaire. Également, il semble que chez les personnes présentant des prédispositions particulières, la surconsommation de sucre pourrait entraîner des complications cardiovasculaires. Finalement, le lien entre la prévalence de l'obésité et la consommation excessive de sucre est sans fondement précis. Trop de facteurs interviennent, ce qui rend les résultats difficiles à interpréter.

Dosez le sucre

Le sucre, produit raffiné, est souvent pointé du doigt car il est dépourvu de vitamines, de minéraux et de fibres et il n'est composé que de glucides (il fournit 4 calories par gramme). C'est pourquoi les produits qui en contiennent beaucoup sont nommés « aliments à calories vides ». Par contre, en associant des quantités modérées de sucre avec d'autres produits de qualité dans les desserts (fruits, farine de blé entier, son, etc.), il en résulte un produit intéressant à la fois sur les plans nutritif et gustatif.

Même si certains types de sucre (miel, sirop d'érable) contiennent quelques nutriments, tous doivent être consommés avec modération.

Sucrer sans calorie, c'est possible?

Les substituts de sucre (ou édulcorants de synthèse) sont issus de la transformation en laboratoire de certains produits chimiques. Ils ont « l'avantage » de ne fournir que très peu de calories, sinon aucune, et de ne pas faire monter le taux de sucre dans le sang. Leur pouvoir sucrant est beaucoup plus élevé en général que le sucre (jusqu'à 500 fois plus élevé) et leur ajout dans les produits alimen-taires se fait en très petites quantités. Sécuritaires? Santé Canada a pour mission d'approuver les substituts avant leur mise en marché et de rigoureux contrôles sont effectués afin d'assurer l'innocuité des produits. Mais la controverse demeure au sein du monde scientifique. Leur utilisation doit donc se faire avec prudence et modération. Confectionner des desserts santé sans utiliser de substituts de sucre est tout à fait possible. Cependant, aucun substitut n'est utilisé dans ce livre.

De succulentes garnitures

Les fruits :
de véritables champions !

Le groupe des fruits et légumes représente le plus grand arc du Guide alimentaire canadien. Leur importance dans le cadre d'une saine alimentation est majeure. La liste des bienfaits est longue : les fruits et légumes aident à réduire les risques de cancer, de maladies du cœur, d'hypertension, de diabète, ils améliorent la régularité intestinale, ils contribuent à la santé des os et des dents et ils favorisent un poids santé, éloignant les risques d'obésité. Convaincu ?

Consommation alarmante

En 2005, les statistiques montraient que 45 % des Québécois ne consommaient pas le minimum de 5 portions de légumes et fruits recommandées par le Guide. Les raisons évoquées : le manque de temps, le prix élevé, le goût non apprécié et l'ignorance des bienfaits. Cette consommation si basse est alarmante en considérant tous les bénéfices santé que ces merveilleux aliments apportent.

Frais ou cuisinés,
mangez-en !

Si certains fruits renferment plus de composés que d'autres, tous devraient être consommés sans restriction, ou presque! Frais, en salade, en compote, cuits, caramélisés, dans une tarte, des muffins ou un pouding... Un dessert gorgé de fruits sera toujours un bon choix, et pas besoin d'ajouter beaucoup de sucre à vos recettes. Laissez toute la place à la saveur exquise des fruits !

Et les légumes?

Certains légumes entrent même dans la confection de desserts! Évidemment, le gâteau aux carottes est le meilleur exemple. La courgette se marie pour sa part très bien avec le chocolat. Un gâteau à la betterave est également excellent et d'une couleur impressionnante. Dans tous ces cas, le goût des légumes n'est plus vraiment présent, mais leur teneur en sucre élevée et leur taux d'humidité permettent d'obtenir de succulents résultats!

Les dattes :
un concentré de bonheur!

Le premier dessert que j'ai en tête en pensant aux dattes est sans hésitation... le carré aux dattes! Même si ce dessert est typiquement québécois, la datte est très exotique. Les principaux pays importateurs sont l'Égypte, l'Iran et l'Arabie Saoudite. Il existe une centaine de variétés de dattes. La Deglet Nour (« doigt de lumière », en arabe) est la plus connue mondialement. Très concentrées en sucre, les dattes sont très énergétiques et contribuent à notre apport en fibres alimentaires. Déshydratées (le plus souvent) ou fraîches, elles doivent être dodues, tendres et d'une couleur franche à l'achat. Mettez de côté des dattes ternes et dures.

Les raisins secs

Les plus grands producteurs de raisins secs sont la Turquie et les États-Unis. Les variétés les plus connues sont : le Muscat, le Malaga, le Sultana et le Thompson Seedless. Pour ce dernier cultivar, les raisins dorés sont obtenus après avoir été traités avec des sulfites qui empêchent le brunissement. Les raisins de Corinthe sont également très utilisés en pâtisserie. D'origine grecque, ces raisins sont noirs et miniatures. Préférez les raisins secs brillants et légèrement humides.

Autres fruits séchés : abricots, ananas, figues, melons, papaye...

Comme ils contiennent trois fois moins d'eau que leur équivalent frais, tous les éléments sont concentrés. Très énergétiques, riches en nutriments et en fibres, ils contribuent à bonifier les recettes, mais de petites quantités sont suffisantes car ils sont également très sucrés. Les fruits séchés se conservent en général de 6 à 12 mois dans un endroit sec et à l'abri de l'air ou au congélateur si l'on en fait un usage limité.

La noix de coco

La noix de coco s'harmonise bien dans certains desserts plus exotiques. Elle donne cette touche de soleil qui fait sourire les papilles. On trouve de la noix de coco séchée râpée ou en flocons (sucrée ou non). À l'achat, choisissez-la bien blanche (sans brunissement) et si vous l'achetez en vrac, elle dégagera une agréable odeur, sans relent de rancidité. Elle est à consommer avec modération car elle est composée en grande partie de gras saturés, qui sont reconnus pour avoir des effets dommageables sur le cœur.

Sulfites à éviter?

Au Canada, les sulfites font partie des principaux allergènes connus. Les sulfites sont des additifs alimentaires qui servent à préserver la couleur et à favoriser la conservation. Ils sont très souvent employés lors de la déshydratation des fruits et de la noix de coco. La consommation de sulfites peut causer des réactions allergiques graves chez les gens qui y sont sensibles. Pour ces personnes, il est primordial de bien lire les étiquettes afin de déceler les traces de sulfites. Certains produits peuvent échapper au contrôle de l'Agence canadienne d'inspection des aliments. Soyez doublement vigilant et en cas de doute, consultez un allergologiste.

[RÉFÉRENCES]

Les desserts dans le monde

Toussaint-Samat, Maguelonne, *La très belle et très exquise histoire des gâteaux et des friandises*, Flammarion, 2004
Sender, S.-G et Derrien, Marcel, *La grande histoire de la pâtisserie-confiserie française*, Minerva, 2003

La place du dessert dans notre société

http://blogue.passeportsante.net/helenebaribeau/2009/01/etesvous_des_victimes_de_la_di.html
Nielsen, SJ, Popkin, BM, «Patterns and trends in food portion sizes», 1977-1998, JAMA. 2003 Jan 22-29;289(4):450-3.Click here to read
http://www.cyberpresse.ca/vivre/cuisine/200902/24/01-830502-recettes-les-calories-se-sont-multipliees-au-fil-des-ans.php

Maladies et desserts

Manuel de nutrition clinique OPDQ
www.fmcoeur.qc.ca
www.fqmc.org
www.diabete.qc.ca

Les agents levants

www.passeportsante.net | Collectif, *L'encyclopédie visuelle des aliments*, Québec Amérique, Montréal, 1996
Magazine *Ricardo*, vol. 5 n° 4, été 2007 et vol. 2 n° 3
Brown, Amy, *Understanding food : Principles and preparation*, Thomson Wadsworth, 2nd edition, USA, 2004 | Girard, Daniel, *Desserts de cuisine ITHQ*, Cuisine professionnelle et professionnelle italienne (CET-712 et CET-724), Institut de tourisme et d'hôtellerie du Québec, Montréal, Édition révisée 2006

Le chocolat

www.passeportsante.net | Collectif, *L'encyclopédie visuelle des aliments*, Québec Amérique, Montréal, 1996 |
Magazine *Ricardo*, vol. 4 n° 3, p. 52 | Brown, Amy, *Understanding food : Principles and preparation*, Thomson Wadsworth, 2nd edition, USA, 2004 | Collectif, *L'essentiel de l'Épicerie*, Les Éditions La Semaine, Montréal, 2007 |
Girard, Daniel, *Desserts de cuisine ITHQ*, Cuisine professionnelle et professionnelle italienne (CET-712 et CET-724), Institut de tourisme et d'hôtellerie du Québec, Montréal, Édition révisée 2006 |
http://fr.wikipedia.org/wiki/Chocolat | *Règlement sur les aliments et drogues*, ministère de la Justice du Canada | Vita, JA., «*Polyphenols and cardiovascular disease: effects on endothelial and platelet function*»,

Am J Clin Nutr 2005 January;81(1 Suppl):292S-7S. |
Keen, CL., «*Chocolate: food as medicine/medicine as food*», J Am Coll Nutr 2001 October; 20(5 Suppl):436S-9S. |
Ding, EL., Hutfless, SM., Ding, X., Girotra, S., «*Chocolate and prevention of cardiovascular disease: a systematic review*», Nutr Metab (Lond) 2006;3:2.

Les corps gras

www.passeportsante.net | Collectif, *L'encyclopédie visuelle des aliments*, Québec Amérique, Montréal, 1996 | Brown, Amy, *Understanding food : Principles and preparation*, Thomson Wadsworth, 2nd edition, USA, 2004 | Collectif, *L'essentiel de L'Épicerie*, Les Éditions La Semaine, Montréal, 2007 | Girard, Daniel, *Desserts de cuisine ITHQ*, Cuisine professionnelle et professionnelle italienne (CET-712 et CET-724), Institut de tourisme et d'hôtellerie du Québec, Montréal, Édition révisée 2006 | http://fr.wikipedia.org | Fondation des maladies du cœur, Les diététistes du Canada, Santé Canada | *Enquête sur la santé dans les collectivités canadiennes : Vue d'ensemble des habitudes alimentaires des Canadiens*, 2004, Santé Canada

La farine de blé

www.passeportsante.net | www.extenso.org | Santé Canada | Collectif, *L'encyclopédie visuelle des aliments*, Québec Amérique, Montréal, 1996 | Collectif, *L'essentiel de l'Épicerie*, Les Éditions la Semaine, Montréal, 2007 | Diététistes du Canada | Blais, Christina, *Science des aliments*, NUT 1018, Université de Montréal, 2002 | Dubost, Mireille, *La nutrition*, 3e édition, Chenelière Éducation, Montréal, 2006, p. 232

Les autres farines, les flocons et féculents

www.passeportsante.net | www.extenso.org | Santé Canada | Collectif, *L'encyclopédie visuelle des aliments*, Québec Amérique, Montréal, 1996 | Collectif, *L'essentiel de l'Épicerie*, Les Éditions La Semaine, Montréal, 2007 | Diététistes du Canada | Blais, Christina, *Science des aliments*, NUT 1018, Université de Montréal, 2002

Multiples laits

www.passeportsante.net | Collectif, *L'encyclopédie visuelle des aliments*, Québec Amérique, Montréal, 1996 | Collectif, *L'essentiel de L'Épicerie*, Les Éditions La Semaine, Montréal, 2007 | Brown, Amy, *Understanding food : Principles and preparation*, Thomson Wadsworth, 2nd edition, USA, 2004

Multiples crèmes

www.passeportsante.net | Collectif, *L'encyclopédie visuelle des aliments*, Québec Amérique, Montréal, 1996 | Collectif, *L'essentiel de L'Épicerie*, Les Éditions La Semaine, Montréal, 2007 | Brown, Amy, *Understanding food : Principles and preparation*, Thomson Wadsworth, 2nd edition, USA, 2004

Les dérivés et substituts du lait

www.passeportsante.net | Collectif, *L'encyclopédie visuelle des aliments*, Québec Amérique, Montréal, 1996 | Collectif, *L'essentiel de L'Épicerie*, Les Éditions La Semaine, Montréal, 2007 | Brown, Amy, *Understanding food : Principles and preparation*, Thomson Wadsworth, 2nd edition, USA, 2004 | http://www.plaisirslaitiers.ca

Les noix et graines

www.passeportsante.net | Collectif, *L'encyclopédie visuelle des aliments*, Québec Amérique, Montréal, 1996 | Brown, Amy, *Understanding food : Principles and preparation*, Thomson Wadsworth, 2nd edition, USA, 2004 | Collectif, *L'essentiel de L'Épicerie*, Les Éditions La Semaine, Montréal, 2007 | http://fr.wikipedia.org | http://www.inspection.gc.ca | Hu, FB et coll., *«Frequent nut consumption and risk of coronary heart disease in women: prospective cohort study»*, BMJ, 1999 May 8;318(7193):1287

Les œufs

www.passeportsante.net | Collectif, *L'encyclopédie visuelle des aliments*, Québec Amérique, Montréal, 1996 | Collectif, *L'essentiel de L'Épicerie*, Les Éditions La Semaine, Montréal, 2007 | Brown, Amy, *Understanding food : Principles and preparation*, Thomson Wadsworth, 2nd edition, USA, 2004 | www.lesœufs.ca | 1Ginsberg, HN et coll., *« A dose-response study of the effects of dietary cholesterol on fasting and post prandial lipid and lipoprotein metabolism in healthy young men»*. Arterioscler Thromb 1994; 14:576-86 | 2Hu, FB et coll, *«A prospective study of egg consumption and risk of cardiovascular disease in men and women»*, JAMA, 21 avril 1999; 281(15):1387-94 | Gray, J et Griffin, B. *« Eggs and dietary cholesterol – dispelling the myth»*, British Nutrition Foundation Nutrition Bulletin, 2009. 34, 66-70 | Santé Canada (Santé Canada conseille la prudence aux Canadiens qui mangent des œufs) | http://magasin.iga.net (épicerie en ligne) | Girard, Daniel, *Desserts de cuisine ITHQ*, Cuisine professionnelle et professionnelle italienne (CET-712 et CET-724), Institut de tourisme et d'hôtellerie du Québec, Montréal, Édition révisée 2006

Les produits gélifiants

www.passeportsante.net | Collectif, *L'encyclopédie visuelle des aliments*, Québec Amérique, Montréal, 1996 | Magazine *Ricardo*, vol. 3 n° 4, été 2005 | Brown, Amy, *Understanding food : Principles and preparation*, Thomson Wadsworth, 2nd edition, USA, 2004 | Girard, Daniel, *Desserts de cuisine ITHQ*, Cuisine professionnelle et professionnelle italienne (CET-712 et CET-724), Institut de tourisme et d'hôtellerie du Québec, Montréal, Édition révisée 2006

Le sucre et autres produits sucrants

www.lesucre.com | www.passeportsante.net Statistique Canada | Collectif, *L'encyclopédie visuelle des aliments*, Québec Amérique, Montréal, 1996 | Collectif, *L'essentiel de L'Épicerie*, Les Éditions La Semaine, Montréal, 2007 | Magazine *Ricardo*, vol. 5 n° 1, Noël 2006, p. 20 et vol. 3 n° 2, p. 80 | Brown, Amy, *Understanding food : Principles and preparation*, Thomson Wadsworth, 2nd edition, USA, 2004 | Santé Canada (Édulcorants) | Girard, Daniel, *Desserts de cuisine ITHQ*, Cuisine professionnelle et professionnelle italienne (CET-712 et CET-724), Institut de tourisme et d'hôtellerie du Québec, Montréal, Édition révisée 2006 | Sender, S.G. et Derrien, Marcel, *La grande histoire de la pâtisserie-confiserie française*, Minerva, Genève, Suisse, 2003, p. 22-23

De succulentes garnitures

http://www.passeportsante.net
http://www.aqdfl.ca
http://www.extenso.org

[TABLE DES RECETTES]